eutsch als Fremdsprache
für Fortgeschrittene

Mittelstufe

Konzepte Deutsch 1

ornelsen

Konzepte Deutsch
Textbuch
Deutsch als Fremdsprache für Fortgeschrittene
Band 1: Mittelstufe

im Auftrag des Verlages erarbeitet von:
Karl-Heinz Bieler, Köln, und Jürgen Weigmann, Bogotá

Redaktion: Lutz Rohrmann

Beratende Mitwirkung:
Dr. Christel Hannig, Madrid

Grafische Gestaltung: Regelindis Westphal, Antonia Becht, Berlin

Umschlagentwurf unter Verwendung eines Fotos von Henning Lox und
Carsten Bergmann, Berlin, und eines Auszugs aus: Duden Deutsches
Universalwörterbuch © Bibliographisches Institut, Mannheim 1989

Illustrationen: Claus Ast, Mainz

Bild- und Textquellen: siehe Anhang

 http://www.cornelsen.de

1. Auflage ✓   Druck 7 6 5 4   Jahr 04 03 02 01

© 1994 Cornelsen Verlag, Berlin

Satz: Satzinform, Berlin
Repro: Carl Schütte & C. Behling, Berlin und Satzinform, Berlin
Druck: Cornelsen Druck, Berlin

ISBN 3-464-208001

Bestellnummer 208001

Begleitmaterialien zu *Konzepte Deutsch 1:*
Arbeitsbuch 1, Best.-Nr. 208010
Text-Kassette 1, Best.-Nr. 208036
Lehrerhandbuch 1, Best.-Nr. 208028

 gedruckt auf säurefreiem Papier,
umweltschonend hergestellt aus chlorfrei gebleichten Faserstoffen

Inhaltsverzeichnis

"Umweltschutz heute"

Mick

Otto
Waalkes

28 : 7

*Wir befinden uns im Wohnzimmer der Familie Redlich.
Vater Redlich sitzt gemütlich in seinem Fernsehsessel und
buchstabiert im milden Schein der Leselampe seine gelieb-
te Bildzeitung. Mutter Redlich poliert ihren geliebten Gum-
mibaum. Beider Sohn sitzt über seinen Schulbüchern und
macht seine Hausaufgaben. Er versucht es zumindest …*

SOHN: Papa!

VATER, *abwesend:* Ja?

SOHN: Ich hab hier 'ne Rechenaufgabe.

10 VATER: Meinetwegen. Aber komm nicht so spät nach
Hause!

SOHN: Ich hab hier 'ne Rechenaufgabe, die krieg ich
nicht raus!

VATER, *bei der Sache:* Was? Die kriegst du nicht raus?
15 Zeig mal her.

SOHN: Hier. 28 durch 7.

VATER: 28 durch 7? Und das kriegst du nicht raus? Elke!!
Dein Sohn kriegt 28 durch 7 nicht raus!

MUTTER: Dann hilf ihm doch!

20 SOHN: Was heißt denn 28 durch 7, Papa? Wofür brauch
ich das denn?

VATER: Wofür? Wofür? Alle naslang brauchst du das! Stell
dir vor, du hast 28 Äpfel, ihr seid sieben Buben und wollt
die Äpfel untereinander aufteilen!

25 SOHN: Wir sind aber immer nur vier! Der Fips, der Kurt,
sein Bruder und ich!

VATER: Dann nehmt ihr halt noch den Erwin, den Gerd
und den Henner dazu, dann seid ihr …

SOHN: Der Henner ist blöd. Der kriegt keinen Apfel.

30 VATER: Na, dann musst du halt sehen, wen du sonst noch
auf der Straße triffst.

MUTTER: Der Junge geht mir nicht auf die Straße! Der
macht jetzt seine Schulaufgaben!

VATER: Jetzt misch dich nicht auch noch ein! Oder weißt
35 du eine bessere Erklärung dafür, wie 28 durch 7 geht?

MUTTER: Jedenfalls geht der Junge nicht auf die Straße!

VATER: Gut! Er bleibt hier! Wir haben also keine sieben
Buben, sondern nur 28 Äpfel, und die teilen wir jetzt
durch sieben Birnen, das macht …

40 MUTTER: Aber Hermann! Das geht doch gar nicht!

VATER: Jaja, 's war falsch … Nun macht doch nicht alles so
kompliziert! Ihr seid also keine sieben Birnen … äh …
Buben … ihr seid sieben … sieben … na! Sieben Zwerge!
Jawohl, ihr seid sieben Zwerge.

45 SOHN: Und?

VATER: Und die haben zusammen eine 28-Zimmer-Woh-
nung!

MUTTER: Ach Gott, Hermann, es gibt doch in der ganzen
Stadt keine 28-Zimmer-Wohnung!

50 VATER: Natürlich nicht! Es gibt ja auch in der ganzen
Stadt keine sieben Zwerge, verdammt noch mal! Wenn ich
deine unqualifizierten Bemerkungen schon höre!

MUTTER: Unqualifiziert! Aha! Und was machen deine
sieben Zwerge in ihrer 28-Zimmer-Wohnung?

55 VATER: Wohnen! Was denn sonst? 28 Zimmer durch
sieben Zwerge?

MUTTER: Soso! Die geh'n da durch. Hintereinander – wie?

SOHN: Und was macht das Schneewittchen, Papa?

VATER: Die? Die soll bleiben, wo sie ist, die dumme Nuss!

60 MUTTER: Aber Hermann!

VATER: Na gut. Nehmen wir halt was anderes! Die sieben
Geißlein zum Beispiel. Die mit den Wölfen. Also: Sieben
Geißlein durch 28 Wölfe. Wie viel Wölfe frisst jedes
Geißlein?

65 MUTTER: Ach Hermann!

VATER: Ach Hermann! Geißlein! Wölflein! Lasst mich
doch endlich mit dem Mist zufrieden!

SOHN: Was ist denn nun 28 durch 7?!

VATER: Du hast Recht, mein Junge, man muss die Nerven
70 behalten! Also, wer frisst denn da immer die Wölfe? Elke?

MUTTER: Was weiß ich denn? Rotkäppchen vielleicht?

VATER: Na gut! Sieben Rotkäppchen fressen 28 Geißlein
… oder anders: Die Wälder! Die Wälder! Sieben Rotkäppchen rennen durch 28 Wälder …

MUTTER: Und 28 Großmütter fressen sieben Wölfe ...

VATER, *schreiend*: Und sieben Geißlein kaufen sich 28 Wackersteine ...

SOHN *schreit*: Schreit doch nicht so! Das geht mir auf den Wecker!

VATER: Wecker! Sehr gut! Du hast 28 Wecker, und du musst um sieben raus. Wie viel ...

MUTTER: Seit wann muss der Junge denn um sieben raus?! Der muss um halb sieben raus, so wie der immer rumtrödelt!

VATER: Gut! Gut!

MUTTER: Und wenn du schon mit Beispielen kommst, dann denk dir doch eins aus, unter dem sich der Junge auch etwas vorstellen kann!

VATER: Ist recht! Ist recht! 28 durch 7! Das muss man teilen. Verstehst du? Wie einen Kuchen. Du hast eine Torte, und die teilst du in der Mitte durch. Und dann ist sie geteilt, klar?

SOHN: Ja. Und dann?

VATER: Und bei deiner Aufgabe musst du eben 28 Torten durch 7 teilen, jawohl! 28 Torten. *Laut* Elke! Ich bin's leid. Kauf jetzt 28 Torten!

MUTTER: Für wen denn?

VATER: Für uns sieben!

MUTTER: Wir sind aber doch nur drei!

VATER: Dann werden eben noch vier dazugeladen! Die Gierigs. Die alte Raffke! Und der gefräßige Herr Mertens! Kauf die Torten!

MUTTER: 28 Torten?! Aber das ist ja viel zu teuer, Hermann!

VATER: Für die Bildung von meinem Sohn ist mir nichts zu teuer! Was der Staat mit seiner verhunzten Bildungspolitik nicht schafft, das muss die Familie eben ausgleichen! Jetzt kaufst du die 28 Torten!

SOHN: Aber das ist doch Wahnsinn! Da muss ja jeder von uns vier Torten essen!

VATER: Das werden wir ja sehen, ob wir das schaffen! Wenn ich schon dran denk an das süße Zeug.

MUTTER: Ja, dann könnten wir doch ...

VATER: Nein! Die Aufgabe wird jetzt gelöst. Kauf die Torten!

MUTTER, *im Rausgehen*: ... 28 Torten! Vier Torten für jeden! Das schaffen wir doch nie ...

Vorhang

Christine Nöstlinger

Thesi und die Englischtante

Die nächste Stunde war Englisch. Die Englischtante wollte, daß Thesi den Hausaufsatz zum Thema „A Sunday at Home" vorlese. Thesi hatte das Hausheft daheim vergessen. Sophies Wunsch, zur Großmutter mitzukommen, hatte sie beim Einpacken irritiert. Wahllos hatte sie ein paar Sachen in die Tasche gestopft, ohne auf den Stundenplan zu achten.

„Das kann ja jedem passieren", sprach die Englischtante milde, als sich Thesi entschuldigte. Sie bat den Charlie vorzulesen.

„Ich habe mein Heft auch vergessen", sagte der Charlie.

„Das kann ja passieren!"

„Bei dir passiert das zu oft", sagte die Englischtante unwillig. „Der Verdacht liegt nahe, dass du wieder einmal keine Hausübung gemacht hast. Von Maria-Theresia hingegen ist das nicht anzunehmen."

Du Kuh, dachte Thesi! Red doch nicht so daher! Ich mag nicht immer wie der Tugendbolzen dastehen! Ich lass mir das nicht mehr gefallen! Ich muss irgendetwas tun, damit die anderen merken, dass ich nicht auf der Lehrerseite stehe!

Thesi holte einen Bubblegum aus der Schultasche, kaute ihn weich und blies einen kindskopfgroßen Ballon. Die Englischtante tat, als bemerkte sie Thesis unterrichtsfremde Tätigkeit gar nicht. Sie bat die Biggi, ihr „A Sunday at Home" vorzulesen. Drei Superblasen ließ Thesi zerplatzen, ohne dass die Englischtante auch nur ein Sterbenswörtchen darüber verlor. Da räumte Thesi ihr Pult ab und zog die Rommékarten, die sie als Mitbringsel für den Josef besorgt hatte, aus der Tasche. Sie mischte die Karten und legte auf dem Pult eine Patience.

„Ich schenk Ihnen die Karten", sagte Thesi. „Ich hab daheim noch andere!"

„Jetzt werde nicht unverschämt!" Die Englischtante lief rot
55 an.

„Kleine Geschenke erhalten die Freundschaft", sagte Thesi.
Die Englischtante knallte die Karten auf Thesis Pult. Die
Karten rutschten auseinander, viele fielen auf den Boden.

„So geht man aber nicht um mit fremdem Eigentum", sagte
60 Thesi.

Sie bückte sich und sammelte die Karten ein. Ihr Herz
klopfte laut, ihre Hände zitterten vor Aufregung. Geschafft,
dachte sie stolz. So frech war noch keiner!

Das konnte sich die Englischtante denn nun doch nicht bieten lassen. „Maria-Theresia", rief sie. „Tu sofort die Karten weg!"

35 Thesi spielte weiter.

„Hast du nicht gehört, Maria-Theresia?"
Thesi ignorierte die Frage.

„Ja, was ist denn in dich gefahren?" Die
Englischtante kam zu Thesis Pult.

40 „Mir ist langweilig", sagte Thesi. „Patiencelegen vertreibt die Zeit!" Thesi
war stolz, diese Frechheit ohne zu stottern geschafft zu haben.

Die Englischtante sammelte die Karten
45 ein, die auf Thesis Pult lagen. „Die sind
konfisziert! Die kannst du dir nach der
Zeugnisverteilung in der Direktion abholen!"

Thesi überlegte blitzschnell, was wohl
50 der Charlie in dieser Situation sagen
würde.

Thesi blieb einsammelnd und gebückt, bis die Englisch-
65 tante wieder beim Lehrertisch war, dann setzte sie sich hinter ihr Pult und stellte – diskret Umschau haltend – fest,
dass die Blicke vieler Kollegen anerkennend auf ihr ruhten.
Der Charlie zwinkerte ihr sogar zu.

Thesi steckte die Hände ins Pultfach, damit niemand die zit-
70 ternden Finger sehen konnte. Eigentlich war es gar nicht so
schwer, dachte sie. Eigentlich hab ich das ganz schön hingekriegt! Eigentlich hätte ich so eine Aktion schon viel
früher starten können. Und der Englischtante warf sie einen Blick zu, der heißen sollte: Entschuldigung, meine
75 Gute, die Sache war nicht gegen dich geplant!

Es ist nicht anzunehmen, dass die Englischtante Thesis
Blick richtig deutete.

Hans
Schmid

Bericht

Ich bin ein junger Hauptschullehrer, dreißig Jahre alt. Und ich vertrete einen anderen, mir unbekannten. Der ist für zwei Wochen weg. Die Schüler sind nett zu mir und im letzten Schuljahr.

Am ersten Morgen begrüßte ich sie mit meiner Gitarre, als sie zur Tür hereinkamen. Vorne auf dem Stuhl saß ich, während sie ihre Sachen auspackten und sich bereitmachten. Ich glaube, das gefiel ihnen. Sie klatschten, dann stellte ich mich vor.

Es war ein guter Start. Es ging überhaupt alles recht gut. Ich hatte das Gefühl, sie mögen mich.

In der letzten Woche am Freitag ist es drückend warm. Für den Nachmittag stehen eine Stunde Rechnen und zwei Stunden Zeichnen auf dem Stundenplan. Ich habe überhaupt keine Lust. Mit 25 Schülern in diesem engen Zimmer! Sie werden Platten auflegen wollen zur Arbeit. Auch sie werden keine Lust haben. Warum nicht ein Spaziergang? Hinaus! Hinauf über die Stadt an den Waldrand! Dort kann ich ihnen weiter aus dem Buch vorlesen, denke ich.

Ich lasse abstimmen. Das Ergebnis: Alle wollen zum Waldrand! „Natürlich kennen wir den Weg!", rufen sie noch, und weg sind sie. Es ist wie ein Ausbruch aus dem Gefängnis.

Einige gehen die Hauptstraße entlang. Ein paar schieben ihr Fahrrad. Micha und Erich fahren mit dem Moped. Evi will noch ihren Hund holen. Der sei allein zu Hause. Meinetwegen – sollen sie ihr Vergnügen haben.

Ich wandere als letzter den Wiesenpfad entlang zwischen Obstbäumen hindurch. Vor mir sind kleinere Schülergruppen. Ich fühle mich wohl. Das hast du gut gemacht, denke ich, ich sehe, dass dort vorn Max und René einige Äpfel vom Ast reißen, also stehlen! Muss das sein? Soll ich rufen? Ich schweige. Aber es beunruhigt mich doch. Wenn oben der Bauer steht, gibt es Ärger. Oben, wo der Wiesenpfad in die Hauptstraße einmündet, steht aber nicht der Bauer, der hat Gott sei Dank nichts gesehen. René ist hier zurückgeblieben und bietet mir einen gestohlenen Apfel an. Der ist mir noch zu grün, sage ich und lehne dankend ab.

Endlich sitzen sie am Waldrand. Eng beieinander. Natürlich. Und der Hund stört. Er schnüffelt, schnuppert, läuft hin und her, und alle wollen ihn mal streicheln. Mir ist nicht mehr so wohl. Wir überblicken von hier oben einen Teil der Stadt. Wohnblöcke, Antennen, Straßen. Das Hochhaus dort ist ein neues Einkaufszentrum. Am Horizont sind blaue Hügel. Aus dem Wald rufen Vögel. Ich beginne zu lesen.

„Schwarzer Freitag" heißt das Buch. Das Vorlesen im Freien ist anstrengend vor dieser unruhigen Gruppe. Etwa zwanzig Minuten, dann werd ich sie entlassen. Sie sind nur halb bei der Sache. Der Hund, dieses Vieh! Und sie sitzen zu eng nebeneinander. Das hat man davon, wenn man nicht alles verbietet.

Ich merke nicht, dass drei Jungen fehlen. Später weiß ich, dass sie im Garten des neuen Gasthauses waren. Dort steht ein Rundlauf für die Kleinen. Aber er dreht sich nur, wenn man ein Geldstück in ein Kästchen steckt. Und ebendieses Kästchen wollten sie abschrauben, die drei, während ich mich abmühte, oben am Waldrand.

Die drei im Garten wurden beobachtet, von einem Schreiner hinter einem staubigen Fenster. Er wartete, bis ihr Werk schon weit vorangeschritten war, dann schlich er hinunter zum Wirt. Rasch, rasch und leise ... Und dann rannten die zwei Männer hinzu, zwei Jungen liefen noch rechtzeitig weg, der dritte blieb hängen.

„Was machst du da? Wer bist du? Wie heißt du? Wo ist dein Lehrer? Verdammte Saubande!"

Ich trat hinzu, als der Schreiner gerade brüllte: „Totschlagen müsste man euch! Dreckskerle, ihr! Ihr füllt später nur die Gefängnisse! Seid zu nichts anderem nütze! Und wir müssen dann für euch bezahlen!"

Ich trat hinzu. Der Wirt stotterte vor Wut. Er war ganz bleich: „Da sorgen wir hier für die Kleinen unserer Gäste, und was tun diese Dreckskerle? – Schrauben den Kasten ab! – Ich werd's der Polizei melden. – Und Sie sind auch haftbar, Herr Lehrer!"

Mir war ganz schlecht. Michas Lippen zitterten, und er blickte mich Hilfe suchend an. Die anderen waren noch dro-
85 ben am Waldrand. Ich hatte sie entlassen. Sie wollten noch etwas bleiben, es sei so schön hier, mit diesem lustigen Hund.

Nein, nein, ich solle mir keine Sorgen machen: Sie seien schon rechtzeitig zu Hause. Und auch anständig, ja, ja. Man
90 könne sich auf sie verlassen. Ich war also als erster von da oben weggegangen und stand jetzt hier. Und nun hatte ich mich zu bewähren.

Ausgerechnet Micha. Er hat ein Moped, ist gut ernährt, gut gekleidet. Ein unauffälliger Schüler. – Wegen ein paar Mark!
95 Vielleicht war der Kasten sogar leer gewesen ... Du meine Güte!

„Nur nicht die Polizei oder die Eltern", höre ich Micha flüs-
tern, mit angstvollen, bittenden Augen.

„Und Sie sind auch haftbar!", schimpft der Wirt weiter.
100 „Man muss die Jungen eben führen, nicht nur machen lassen! Die andern zwei, die Feiglinge, sind einfach wegge-
rannt! Weg, über alle Berge! So eine Schweinerei!"

In der Küche des Gasthauses sprachen wir dann weiter. Ohne den Schreiner. Der hatte sich in seine Werkstatt
105 zurückgezogen, hinter die staubigen Scheiben. Es dauerte lange, bis wir uns einigten: Micha würde zusammen mit den anderen zwei irgendwann im Oktober einmal dem Wirt das Laub im Garten zusammenrechen.

Polizei und Eltern würden nicht benachrichtigt.
110 Als wir aus dem Gasthaus traten, zogen eben ein paar Schüler unserer Klasse lachend und schwatzend vorbei. Der Himmel hatte sich verdüstert. Die Hitze war noch drückender.

Micha verabschiedete sich von mir. Ein dankbarer Hände-
115 druck. Dann fuhr er mit dem Moped nach Hause.

Ich stieg nochmals hinauf an den Waldrand. Ich war allein. So ist's gut, sagte ich mir und setzte mich ins Gras, hier kannst du nachdenken.

Wilhelm
Dieß

Der Schüler Stefan

Das Schulzimmer der siebten Klasse unseres Gymnasiums lag nach Süden. Man blickte von dort auf einen schönen, bewaldeten Hügel. Im Sommer war es, wenn die Sonne schien, sehr heiß. Vorhänge gab es nicht.
5 Nachmittags von zwei bis drei Uhr lasen wir zweimal in der Woche Homer bei einem Lehrer, der äußerst langweilig war. Eine Abwechslung in seinem eintönigen Unterricht gab es nur, wenn er einen Witz machte und wir darüber lachten.
10 Man musste allerdings aufpassen, um den Witz überhaupt zu bemerken. Denn den Witz selbst erkannten oder ver-
standen wir nur selten; aber der Lehrer pflegte ihn mit ei-
nem kurzen, trockenen Lachen zu begleiten. Dabei schloss er die Augen und hielt das Buch etwas von sich weg. Das
15 war für uns immer ein sicheres Zeichen dafür, dass er ge-
rade etwas Lustiges sagen wollte.

Wenn das geschah, lachten die wenigen Schüler, die gerade aufpassten, laut grölend mit – wie man eben lacht, wenn man nicht weiß, warum.
20 Sie lachten laut in die Stille der Schulstube hinein, und don-
nernd folgte die ganze Klasse. Darüber freute sich der Lehrer. Und wir freuten uns, weil wir lachen und brüllen durften, was ja sonst nicht so ohne weiteres erlaubt war.

Das war so schön, dass Mitschüler, die schon eingeschlafen
25 waren, von den anderen geweckt wurden, damit auch sie lachen konnten. Denn die Schläfer wurden keineswegs vom Lärm allein aus ihrem Schlummer geweckt. Mit siebzehn Jahren schläft man sehr tief, besonders in der Schule! Auch ich bin damals nie erwacht, wenn ich nicht von mei-
30 nem Banknachbarn kräftig angestoßen wurde.

Neben mir saß Stefan. Er hatte kurze Haare, helle Augen und eine schlanke, sportliche Figur. Er sprach nie viel, und in der Homer-Stunde schlief er oft fest.

Einmal, den Kopf tief über das Buch gebeugt, wurde er auf-
35 gerufen. Er sollte in der Übersetzung fortfahren. Er regte sich nicht. Ich stieß ihn mit dem Ellenbogen an. Er hob den Kopf ein wenig in die Höhe, öffnete zwar nicht die Augen, wohl aber den Mund und stieß ein kräftiges „Hahahaha!" aus. Dann senkte er den Kopf wieder, um weiterzuschlum-
40 mern.

Der Lehrer begriff nichts; er sah den Stefan nur überrascht an. Aber die Klasse wusste natürlich, was los war, und be-

obachtete mich erwartungsvoll. Meine Aufgabe war jetzt nicht einfach, das wussten meine Mitschüler. Ich stieß den
45 Stefan noch einmal an, und als er sich wehrte, trat ich ihn ein bisschen. Da glaubte er, er habe vielleicht zu wenig gelacht. Er richtete sich halb auf und brüllte bei geschlossenen Augen ein paar Mal: „Haha! Haha! Haha!" Dann sank er wieder auf die Bank.
50 Die Klasse war still wie nie. Ich aber trat den Stefan ein zweites Mal, nun ganz kräftig, gegen das Bein. Davon wäre selbst ein Toter aufgewacht. Dazu zischte ich in sein Ohr: „Du bist aufgerufen! Du sollst übersetzen!"

Jetzt begriff er. Er bekam einen roten Kopf, stand auf und
55 suchte mit verwirrten Blicken die richtige Zeile im Homer. Aber der Lehrer, der Stefan mit wachsendem Schrecken beobachtet hatte, wandte sich zur stillen Klasse und sagte leise: „Es ist ein Wahnsinniger unter uns!" Und zu Stefan sagte er freundlich und vorsichtig: „Setzen Sie sich bitte, es
60 ist gut!"

Da erhob sich ein tosendes Gelächter. Das verstand der Lehrer zwar nicht, aber es steckte ihn an, und er lachte, gutmütig wie er war, schließlich mit. Der Stefan und ich auch. Der Stefan ist im Krieg gefallen.

Wilhelm
Busch

Plisch und Plum

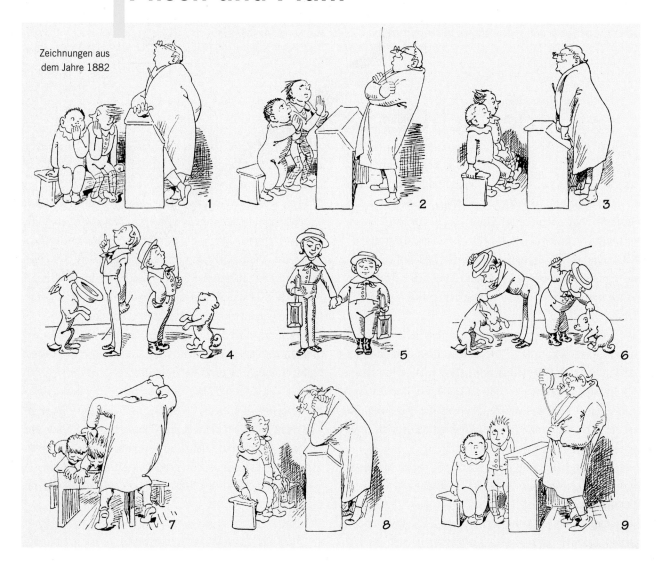

Zeichnungen aus
dem Jahre 1882

Benjamin Franklin

Zweierlei Schulen

Im Jahre 1744 schloss die Regierung von Virginia in Nordamerika mit den Indianern einen Vertrag. Bevor man wieder auseinander ging, machten die stolzen Vertreter Virginias den Indianerhäuptlingen folgende
5 Mitteilung:

„Wir haben in Williamsburg eine Schule, in der auch für einige indianische Jugendliche Platz ist. Wenn die Häuptlinge

20 Wir haben da nämlich schon einige Erfahrungen gemacht. Ein paar Indianersöhne im Norden sind in den Schulen der Weißen erzogen worden. Sie wurden in allen euren Wissenschaften unterrichtet. Aber als sie zu uns zurückkamen, waren sie schlechte Läufer. Sie wussten nicht, wie man im
25 Wald lebt, sie konnten weder Kälte noch Hunger ertragen, und sie wussten nicht, wie man eine Hütte baut, einen

sechs von ihren Söhnen in diese Schule schicken, wird unsere Regierung dafür sorgen, dass ihnen nichts fehlt und dass
10 sie alles lernen, was die weißen Männer wissen."
Der Sprecher der Indianer antwortete:

„Wir glauben, dass ihr das Wissen, das dort gelehrt wird, für sehr wichtig haltet und dass ihr unsere Söhne für viel Geld gut versorgen würdet. Ihr wollt uns also eine Freude machen,
15 und dafür danken wir euch von Herzen. Aber ihr seid klug und wisst, dass die verschiedenen Völker auch sehr unterschiedliche Auffassungen von der Welt haben. Ihr seid deshalb sicher nicht böse, wenn wir sagen, dass wir über eure Schule ganz anders denken als ihr.

Hirsch erlegt oder einen Feind tötet. Auch sprachen sie unsere Sprache schlecht. Sie waren also weder Jäger noch Krieger oder Berater. Sie waren zu überhaupt nichts nütz-
30 lich.

Wir können euer freundliches Angebot leider nicht annehmen. Aber wir danken euch für eure Freundlichkeit, und wir wollen unsere Dankbarkeit zeigen: Schickt doch bitte zehn von euren Söhnen zu uns! Wir werden gut für sie sor-
35 gen und sie alles lehren, was wir wissen, und Männer aus ihnen machen."

Rainer
Kunze

Die Flaumfeder

Wir führten das Gespräch zweier Vä-
ter, die das Schicksal gleichermaßen fest in den Griff genommen hat: Beide sind wir Väter von Töchtern. Da
schwebte in den Schein der Küchenlampe eine Flaumfeder,
5 und ich blickte Honza verwundert an. „Gott gibt ein Stich-
wort", sagte er und begann zu erzählen:

„Eines Tages kommt die Tochter mitten aus dem Unterricht
in die Bibliothek gelaufen und sagt: Du sollst bitte zum Direktor kommen, aber gleich.
10 Ich sage: Zum Direktor?
Es ist nicht wegen der Schule, sagt sie.
Weswegen dann?

Ich wollte eben mal wissen, ob die das fressen ... Weil das
25 doch auch aussieht wie Körner ... Kann ich doch nichts
dafür, wenn die so blöd sind ...
Ich sage: Würdest du vielleicht die Güte haben, noch zu er-
wähnen, womit du sie gefüttert hast?
Na – mit Reißzwecken."
30 Honza bemerkte die Schluckbewegung, die ich unwillkür-
lich machte, und sagte: „Ich habe mich damals auch den
Gänsen näher gefühlt ... Für den Direktor aber zählte mein
Verwandtschaftsgrad zur Tochter. Wissen Sie, wie selten
Hausmeister sind? fragt er mich, als hätte sie nicht die
35 Gänse, sondern den Hausmeister mit Reißzwecken gefüt-

Wegen der Gänse.
Wegen welcher Gänse?
15 Wegen der Gänse vom Hausmeister."
Honza hob die Feder auf, die neben seinem Fuß niederge-
sunken war. „Du kennst diese gesprächige Art", sagte er.
„Für jedes Wort ein Bittgesuch." Seine Augenbrauen, die
wie Krähenflügel abstehen, begannen sich einzuschwin-
20 gen, und er fuhr fort:
„Was ist mit den Gänsen? fragte ich also.
Wir haben sie gefüttert, sagt sie.
Und weiter?

tert. Und wissen Sie, was der Hausmeister für eine Schule
bedeutet? fragt er weiter. Ich will es Ihnen erklären, sagt er.
Ein Hausmeister ist so selten, dass diese Schule schon einmal ein Vierteljahr lang ohne Hausmeister gewesen ist,
40 und er bedeutet für einen reibungslosen Schulbetrieb so
viel, dass ich ein zweites Vierteljahr ohne Hausmeister
nicht überleben werde. Was sollte ich erwidern? Damit Sie
die Tragweite der Tat Ihrer Tochter voll ermessen können,
sagt er schließlich, der Hausmeister trägt sich mit dem Ge-
45 danken zu kündigen.
Ich frage: Sind die Gänse denn gestorben?

Die eine hat heute Morgen ununterbrochen den Kopf verdreht und musste abgestochen werden, sagt der Direktor. Die restlichen vier werden im Laufe des Tages abgestochen werden müssen. Polnische Zuchtgänse. Import.
Ich sage: Sehen Sie denn eine Möglichkeit …
Das Mindeste ist, dass Sie die fünf Gänse kaufen, sagt er."
Honza drehte die Feder zwischen Daumen und Zeigefinger.

„Aber das sind längst vergangene Zeiten, das war in der achten Klasse. Jetzt geht sie in die neunte." Und in den Flaum blasend, fügte er hinzu: „Nur segelt manchmal so eine Feder vom Gardinenbrett und erinnert an die hoffnungsvollen Tage, da die Tochter noch von Wissbegier besessen war."

Ihr Abitur war ein Gedicht

**Traumnote
für eine
45jährige
Sekretärin**

Während andere nach der Arbeit ins Kino, in die Kneipe oder nach Hause gingen, stieg Helga Rost von ihrem Chefsekretärinnestuhl in den alten Käfer und düste zum Unterricht. Abendgymnasium statt Feierabend, so hieß es für sie an fünf Wochentagen. Von 17.30 Uhr bis 21.30 Uhr paukte sie russische Vokabeln, lateinische Grammatik, englische Idioms, Verhaltenslehre und Literatur.

Vier Jahre lang. Dann hatte sie es geschafft: Sie bestand das Abitur, und zwar nicht mit Hängen und Würgen, sondern mustergültig, mit der Note „Eins plus"! Im Fach Deutsch schrieb sie sogar ein eigenes Gedicht und interpretierte es selbst. Die Lehrer waren begeistert.

Helga Rost war anders als die 70% der Abendschüler, die normalerweise abspringen. Sie hielt durch, wenn auch manchmal zähneknirschend. Dass aber das Abitur erst der Anfang sein würde, wusste die 45-jährige Abendgymnasiastin schon lange: Danach wollte sie studieren und promovieren.

Hindernisse sah sie nie. Ihr Mann, der anfangs „grundsätzlich dagegen" war, hatte sich inzwischen damit abgefunden, dass seine Frau die Schulbank drückte. Was blieb ihm auch anderes übrig? Sie hatte gewissermaßen den Spieß umgedreht, nachdem sie jahrelang mit angesehen hatte, wie er „sein ganzes Leben in die Karriere" steckte und abends immer später nach Hause kam. Irgendwann hatte sie sich gesagt: „Warum soll ich ewig auf ihn warten?"

Vier Jahre sah ihr Leben dann so aus: Morgens um acht aus dem Haus, von halb neun bis fünf anstrengende Arbeit als Sekretärin im Soziologischen Institut der Universität, anschließend Abendschule und nachts „noch ein bisschen lesen". Den ganzen Samstag bügeln und vorkochen, sonntags Schularbeiten machen – und ab Montag alles wieder von vorn! Unterstützt wurde sie von ihren inzwischen 16- und 24-jährigen Söhnen; die waren von Mutters Fleiß und Intelligenz sehr beeindruckt.

Ab Herbst will Helga Rost studieren: Literatur, Psychologie und Philosophie. Sie hofft, dass eines Tages auch Kunstgeschichte hinzukommt. Wer keinen Stress hat, macht sich welchen – mögen Außenstehende hierzu sagen. Aber die zukünftige Studentin sieht das anders. Sie hat in den ersten Jahren als Sekretärin so viel Energie in ihre Arbeit im Institut gesteckt, „um aus dem

Das Abitur war erst
der Anfang:
Helga Rost möchte
nun Literatur,
Philosophie und
Psychologie studieren.

Chaos ein Büro zu machen", dass sie die vier Jahre Abendschule kaum anstrengender finden konnte. Deshalb blickt sie gelassen auf ihr Nebenherstudium und denkt, dass sie „vielleicht mit Mitte fünfzig" promovierte Literaturwissenschaftlerin ist. ◆
S.H.

Keine Lust auf Unterricht!

✗ André sagt: „Manchmal ist der Unterricht so langweilig. Da gehe ich lieber ins Café." Er sitzt im „Fouquet", einer Schüler-
5 kneipe, und trinkt einen Cappuccino. André „schwänzt" die Schule. Eigentlich muss er im Unterricht sein. Aber heute hat er keine Lust. Der 16-jährige Hauptschüler ist nicht der
10 einzige Schüler.

OLIVER, Berufsschüler: Ich schwänze, um Überstunden zu machen. Das bringt Geld, und der Chef freut sich.

IMKE: Wenn die Sonne scheint, habe ich manchmal Lust zu schwänzen, aber ich trau mich nicht.

SANDRA: Ich darf 25% des Unterrichts fehlen. Manche Schüler haben Listen, wo sie Striche machen. Dann wissen sie, wie oft sie noch fehlen dürfen.

✗ Schülercafés wie das „Fouquet" verdienen während des Unterrichts viel Geld. Eine deutsche Zeitung nennt Zahlen: „Jeden Tag
15 fehlen 130 000 Mädchen und Jungen an bundesdeutschen Schulen." Das sind fast 2 Prozent aller Schüler. Genaue Zahlen gibt es aber nicht, da kein Bundesminister diese erfasst.
20 Die Schulen sind Sache der Länder.

✗ In dem Film „Die Feuerzangenbowle" mit Heinz Rühmann war das Schwänzen ein lustiger Streich. Heute ist das kein Thema
25 zum Lachen. Oft stehen große soziale Probleme dahinter. Bei Berufsschülern fehlen manchmal bis zu zwei Drittel der Klasse.

✗ „Die haben Jobs,
30 die ihnen Spaß machen – und Arbeitgeber, die den Schulbesuch nicht gerne sehen", sagt Professor Dr. Wal-

ter Bärsch, Präsident des Deutschen Kinderschutzbundes.

35 ✗ Auch Hauptschüler schwänzen. Professor Bärsch: „Sie erkennen, daß sie chancenlos sind. Darum sind sie nicht motiviert."

✗ An den Gymna-
40 sien gibt es das legale Schuleschwän-

zen. Man darf einen bestimmten Prozentsatz an Stunden fehlen. Viele Schüler nutzen das aus. Es gibt aber auch Schulen, wo Schwänzen kein
45 Problem ist. In Süddeutschland ist das Problem kleiner als im Norden, auf dem Lande kleiner als in der Stadt. Dafür gibt es viele Gründe: zum Beispiel eine andere Tradition und

ANDRÉ: Manchmal ist der Unterricht langweilig, da kann man kaum die Augen aufhalten. Da gehe ich lieber ins Café und quatsche mit Freunden.

50 Konfession, bessere Zukunftschancen und ein günstigeres soziales Klima.

✗ Man kann das Schuleschwänzen kaum verhindern.
55 Die einzelnen Bundesländer haben verschiedene Methoden. Wenn Ermahnungen, Gespräche, Strafarbeiten und Briefe an die Eltern nicht helfen, dann meldet der Lehrer den
60 Schüler der Schulbehörde. Dann müssen die Eltern Bußgelder zahlen oder bekommen ein Strafverfahren. Die Polizei kann den Schüler zum Unterricht bringen; das wird aber fast
65 nie gemacht. Die Behörden versuchen lieber, den Schwänzern zu helfen. Dafür gibt es besonders ausgebildete Mitarbeiter. Sie versuchen, gemeinsam mit dem Schüler das Problem zu
70 lösen. Harte Strafen sind nicht mehr gefragt.

Bertolt Brecht

Ich habe gehört, ihr wollt nichts lernen

Ich habe gehört, ihr wollt nichts lernen
Daraus entnehme ich: ihr seid Millionäre.
Eure Zukunft ist gesichert – sie liegt
Vor euch im Licht. Eure Eltern
Haben dafür gesorgt, dass eure Füße
An keinen Stein stoßen. Da musst du
Nichts lernen. So wie du bist
Kannst du bleiben.

Sollte es dann noch Schwierigkeiten geben,
da doch die Zeiten
Wie ich gehört habe, unsicher sind
Hast du deine Führer, die dir genau sagen
Was du zu machen hast, damit es euch gut geht.
Sie haben nachgelesen bei denen
Welche die Wahrheiten wissen
Die für alle Zeiten Gültigkeit haben
Und die Rezepte, die immer helfen.

Wo so viele für dich sind
Brauchst du keinen Finger zu rühren.
Freilich, wenn es anders wäre
Müsstest du lernen.

Schöne und erholsame Ferien

Berufe

Bilderbogen der Berufe

...oner Büroberuf ist doch viel besser für dich", sagt der Vater. „Die Ausbildung dauert nicht so lange, und du machst dich nicht schmutzig."

„Ja", sagt die Mutter, „und im Büro
20 hast du auch immer Gelegenheit, einen netten Mann kennen zu lernen. Tischlerin! Das ist doch kein Beruf für ein Mädchen: den ganzen Tag im Arbeitsanzug, mit Schwielen an den Fingern!"
25 Die Meinung der Eltern ist wichtig, denn sie müssen ja den Ausbildungsvertrag mit der Firma unterschreiben.

„Außerdem", sagt die Mutter, „bist du als Tischlerin den ganzen Tag nur mit
30 Männern zusammen – da wirst du einiges hören müssen!" Das weiß Elke, denn sie hat schon ein Praktikum in einer Tischlerwerkstatt gemacht. Sie weiß aber auch, dass die Männer bald
35 wieder vernünftig werden, wenn sie sich nicht um das dumme Gerede kümmert.

„Welcher Mann wird schon eine Tischlerin heiraten?", fragt die Mutter trium-
40 phierend.

Elke lacht: „Das lass mal meine Sorge sein! Mit sechzehn mache ich mir darüber noch keine Gedanken."

Sie ist ganz sicher: Tischlerin will sie
45 werden!

Lehrstellen-Wünsche
Die häufigsten Vermittlungswünsche
von Lehrstellenbewerbern bei Arbeitsämtern

Von je 1000 Mädchen wollten gerne werden:

Bürokauffrau	155
Verkäuferin	115
Industriekauffrau	79
Arzthelferin	71
Friseurin	50
Einzelhandelskauffrau	42
Bankkauffrau	34
Verwaltungsangestellte	31
Großhandelskauffrau	23
Hauswirtschafterin	20
Reiseverkehrskauffrau	19
Rechtsanwaltsgehilfin	19

Von je 1000 Jungen wollten gerne werden:

Kfz-Mechaniker	74
Industriekaufmann	70
Elektroinstallateur	46
Bürokaufmann	44
Tischler	41
Industriemechaniker	36
Großhandelskaufmann	36
Einzelhandelskaufmann	28
Schlosser	28
Maler	28
Bankkaufmann	25
Energie-Elektroniker	24

BERUFE TESTEN –
WO KANN MAN DAS?

*Beim Betriebspraktikum! Drei Wochen lang können die
15- bis 16-jährigen Schüler der Mittelstufe in einer Firma
das Arbeitsleben kennen lernen. Der Lehrer Roland Karl
aus Wiesbaden protokollierte den „Berufstest" seiner*
5 *Klasse.*

„Toll, drei Wochen keine Schule!" Peter freut sich schon auf
paradiesische Zeiten. Das wird sich erst zeigen, denke ich
für mich. Ich bin der Klassenlehrer dieser 9 R 2, die in den
nächsten Wochen ihr Betriebspraktikum machen soll. Alle
10 Schüler der vorletzten Klassen (die 8. Klasse in der Hauptschule und die 9. in der Realschule) haben diese Möglichkeit. Sie sollen Erfahrungen in der Arbeitswelt sammeln:
Berufe und Produktionsabläufe kennen lernen und den Um-
gang mit Menschen in der Arbeitswelt.
15 Einige Wochen lang haben wir uns vorbereitet. Wir haben
Lebensläufe und Bewerbungen geschrieben und die Ju-
gendarbeitsschutzgesetze durchgenommen. (Verboten sind
zum Beispiel Akkordarbeit und körperliche Strafen.) Wir haben über Versicherungen gesprochen und mit einem Com-
20 puter nach den besonderen Neigungen und Fähigkeiten jedes Schülers gesucht. Einige Schüler fanden dann selbst
eine Stelle für ihr Praktikum, andere bekamen Hilfe von der
Schulleitung.
An diesem Freitag freuen sich alle. Es ist der letzte Schul-
25 tag vor dem Praktikum. Jeder hat eine Stelle gefunden. Auf
meinem Tisch liegt eine Liste von Firmen: eine Autowerk-
statt, ein Hotel, ein Reisebüro, eine Bank, eine Bäckerei,
eine Versicherung, eine Krankenkasse, die Stadtverwaltung,
ein Supermarkt, ein Fotolabor, ein Postamt, ein Kranken-
30 haus, ein Zahnarzt ... Es ist fast alles dabei.
Aufgeregt stellen die Schüler noch letzte
Fragen (natürlich sind alle schon be-
sprochen): „Wie lange müssen wir
höchstens arbeiten?" (Sechs Stunden
35 täglich.) „Wie viel Mittagspause steht
uns zu?" (30 Minuten.) „Müssen wir
jeden Tag hin?" (Sonntags nicht, und
ein Werktag ist frei.) „Bekommen
wir Geld dafür?" (Nein. Aber ihr sollt
40 auch nicht als billige Arbeitskraft

eingesetzt werden, sondern lernen und probieren!) „Was ist
bei Krankheit?" (Schule anrufen und den Betrieb.)
„Tschüss ... und viel Spaß!", wünsche ich allen. Denn am
Montag geht's los.

Beim Bäcker muss
Rainer schon früh
um 4 Uhr anfangen,
denn um 6 Uhr
müssen die Brötchen
fertig sein. Erst am
Vormittag kommen
die Torten dran.

45 Nach einer Woche besuche ich die erste Firma: eine Autolackiererei, wo Sven arbeitet. Der Meister erklärt mir den
Betrieb. Sven lässt sich nicht stören und spachtelt an einem
Kotflügel. „Das muss man dann noch mal schleifen",
erklärt er stolz.
50 „Dann wird es wieder gespachtelt
und noch mal geschliffen –
und dann erst lackiert!"

bis
abends

Christine ("Tine") ist in einer Zahnarztpraxis. Schon am dritten Tag durfte sie dem Doktor assistieren. "Sie ist flink und
55 neugierig", erzählt mir der Arzt. "Sie kann schon mitma-
chen wie eine richtige Zahnarzthelferin." Toll!

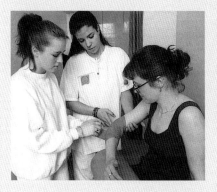
Janett aus Südafrika machte ihr Praktikum bei einem Facharzt für Orthopädie – hier bandagiert sie gerade einen Ellenbogen.

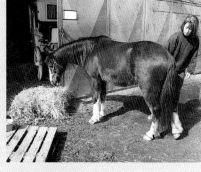
Bärbel liebt Tiere. Darum wollte sie wissen, wie ein Tierpfleger arbeitet. Wie man sieht, hat sie keine Angst vor Tieren.

Sven hatte viel Spaß in der Autolackiererei.

Der nächste Besuch führt in den Tierpark. Bärbel liebt Tiere,
besonders Pferde. Sie will ausprobieren, wie ein Tierpfleger
arbeitet. Ich finde sie im Stall mit Mistgabel und Gummi-
60 stiefeln. "Echt suuuper!", strahlt sie. "Immer an der frischen
Luft und mit Tieren zusammen. Das ist eine tolle Arbeit!"
Ich muss mitkommen auf die Wiese zu den Pferden und zu
den Wisenten. Zum Glück darf ich bei den Wölfen draußen
bleiben.
65 Aber nicht alle haben so viel Spaß. Susi (in einer anderen
Arztpraxis) findet es "echt öde". Sie darf nur zuschauen und
kann nichts selber machen. Manfred ("Mannie") saß eine
Woche lang in der Stadtverwaltung am Schreibtisch und
durfte nur Bleistifte spitzen. "Zum
70 Glück haben sie mich schon um zwölf
nach Hause geschickt", meint er. Sybille kann von so kurzen Arbeitszeiten
nur träumen: "Silber putzen und Gläser spülen!", schimpft sie. "Von mor-
75 gens um acht bis nachmittags!" Das
ist ihr "Praktikum" im Restaurant eines Hotels. Eigentlich wollte sie den
Beruf einer Hotelkauffrau kennen lernen.
80 Aber solche Situationen kann man ändern. Oft genügt ein
Gespräch mit dem Lehrlingsbetreuer im Betrieb oder mit
dem Chef. So kam Sybille sofort an die Hotelrezeption. Und
Mannie wechselte in ein anderes Büro. Da hat er sich dann
beschwert, weil er zu viel zu tun hatte. Susi hat sich einen
85 neuen Praktikumsplatz gesucht – in einem Supermarkt.
Jetzt ist sie zufrieden.
Zweimal haben wir uns nachmittags in der Schule getroffen.
Dann waren die drei Wochen vorbei. Fast alle 25 Schüler
waren zufrieden. Denn sie konnten viele Erfahrungen sam-
90 meln – positive und negative.
Bärbel findet den Beruf als Tierpflegerin immer noch toll.
Die schlechte Bezahlung jedoch nicht. Sybille will sich das
mit dem Hotel noch mal überlegen. Sven möchte eine Lehre
als Autolackierer anfangen – so gut hat es ihm gefallen. Tine
95 will nicht Zahnarzthelferin werden. "Es hat mich nur mal interessiert."
Jeder ist klüger geworden. "Die Arbeitswelt ist doch anders
als die Schule", seufzt Peter. Er ist froh, wieder in seiner
Klasse zu sitzen.

Zehn Mark die Stunde

Ferienzeit, freie Zeit? – Für viele Schüler und Studenten nicht. Viele nutzen die Zeit, um ihr Bankkonto zu sanieren. Wer will
5 nicht unabhängig sein vom Portemonnaie der Eltern?

Fast jeder hat schon einmal so einen Job gehabt, als Zeitungsjunge, Babysitter ..., aber es wird immer schwieriger,
10 eine gute Teilzeitarbeit zu bekommen. Manche Universitäten haben ein richtiges „Arbeitsamt" für Studentenjobs. Die meisten jobben, um sich ein paar Extras leisten zu können: Urlaub, Auto,
15 Stereoanlage. Ganz wenige haben Glück und können sich mit dem Nebenjob auf den späteren Beruf vorbereiten. Der Lohn für Ferienarbeit liegt heute zwischen 7 und 17 Mark pro
20 Stunde – steuerfrei, wenn man nicht mehr als 610 Mark im Monat verdient. Wer noch keine 15 Jahre alt ist, darf nur in besonderen Ausnahmefällen eine Arbeit annehmen.
25 Auch wenn es manchmal sehr hart ist und fast die ganze Freizeit dabei verloren geht – alle Jobber, die wir besuchten, waren zufrieden und behaupteten: Jobben macht Spaß!

Bitte recht freundlich!
30

Privat trägt Silke (16, Schülerin) Jeans und Sweatshirt, kümmert sich um ihre fünf Katzen und geht am Wochenende gern in die Disco. Ein ganz „normales"
35 Mädchen also. In den Schulferien aber schlüpft Silke in eine andere Haut. Fast jeden Tag steht sie dann im Scheinwerferlicht oder Blitzgewitter: in Fotoate-

liers, Werbeagenturen oder Modenschauen. Silke jobbt als Fotomodell und
40 Mannequin. „Ganz ohne Ausbildung läuft natürlich nichts. Eine Freundin von mir war früher Mannequin. Bei ihr habe ich gelernt, wie man sich vor der
45 Kamera und auf dem Laufsteg bewegt. Gestik, Mimik und Posen müssen ja exakt einstudiert sein und trotzdem natürlich wirken."

Das Geschäft geht gut: Junge Fotomo-
50 delle für Werbeprospekte und Kaufhauskataloge werden immer gesucht. Und auch jedes größere Textilgeschäft veranstaltet gern seine eigene Modenschau. „Dabei verdiene ich schon als
55 Anfängerin mindestens 200 Mark am Abend." Den Ehrgeiz, in einem großen Modejournal zu erscheinen, hat Silke nicht. „Ständig Diät halten – furchtbar! Und dann der ganze Stress. Bei der
60 großen Konkurrenz ist man schnell ‚out' – ähnlich wie im Showbusiness. Ich werde lieber Sekretärin oder so."

Reine Nervensache

Eine riesige Halle im grellen Neonlicht.
65 Fließbänder rattern zwischen langen Reihen von Regalen. Es ist furchtbar laut, die Ohren schmerzen: Nachtschicht in einer Verpackungsfabrik für Arzneimittel.
70 „Seit drei Jahren arbeite ich hier jede Nacht von Sonntag auf Montag", berichtet Anja (22). „Ich sortiere die einzelnen Produkte. Das ist nicht besonders anstrengend, aber die ganze At-
75 mosphäre geht auf die Nerven. Wenn die Fließbänder einmal abgeschaltet sind, merke ich erst, wie groß der Lärm wirklich ist. Montags bin ich immer total matt."

Vorteil der Nachtarbeit: Anja hat einen festen Arbeitsvertrag, kann also nicht so schnell gefeuert werden. Den „harten" Kontakt mit der Arbeitswelt hat Anja freiwillig gesucht: „Auf der Universität im Fach Wirtschaftspädagogik lernt man nur die Theorie. Das genügt mir nicht. Und natürlich brauche ich auch das Geld."

Hart im Nehmen war Anja schon immer. Als Hilfsarbeiterin auf einer Baustelle schleppte sie Betonsteine und Bierkästen: „Alles fürs Studium."

Einmal Rimini und zurück

18.30 Uhr, Frankfurt am Main, Betriebsbüro der Deutschen Bundesbahn. Boris macht sich fein: Weißes Hemd und Weste – die Dienstkleidung eines Liegewagen-Kontrolleurs.

19.30 Uhr: Fahrt mit dem Taxi zum Abstellbahnhof. Dort wartet der Liegewagen nach Rimini, Italien. Boris muß 60 Betten beziehen, dann Getränke und Frühstückspakete einladen und dabei genau Buch führen über alle Waren.

20.45 Uhr, Frankfurt Hauptbahnhof, Gleis 3. Der Adria-Express rollt ein. Die Reisenden, sonnenhungrig, warten schon ungeduldig. Boris kommt ganz schön ins Schwitzen. Obwohl jeder einen Schlafplatz reserviert hat, drängen alle gleichzeitig in den Wagen. Boris bleibt ganz Herr der Lage, kontrolliert die Tickets, bringt Koffer und Rucksäcke unter.

21.34 Uhr: Abfahrt. Kurze Pause für Boris – so lange, bis die ersten Leute etwas trinken wollen. Boris eilt von Abteil zu Abteil. An den Grenzübergängen erledigt er alle Formalitäten, zeigt die Pässe vor. Die Reisenden können ruhig schlafen. Erst gegen zwei Uhr morgens wird es etwas ruhiger. Aber schlafen kann Boris nicht. Musik aus dem Walkman hilft gegen die Müdigkeit der Augenlider. Um 7 Uhr wollen plötzlich alle Fahrgäste gleichzeitig ihr Frühstück. Boris hat wieder alle Hände voll zu tun. Es gibt Instantkaffee und Sandwiches. 12.05 Uhr, Rimini. Die Sonne lacht, die blaue Adria lockt, aber Boris wünscht sich nichts so sehr wie ein Bett. Fünf Stunden Schlaf im Hotelzimmer müssen genügen. Um 18.30 Uhr ist wieder Abfahrt. Am nächsten Morgen um 8.21 Uhr ist Boris zurück in Frankfurt. Freundin Sabine holt ihn am Bahnsteig ab.

„Wenn es nach Kopenhagen geht, bin ich sogar fünf Tage unterwegs. Ich sehe nur wenig von den Städten, aber während der Fahrt lerne ich die interessantesten Leute kennen. Ich habe schon ganze Nächte lang geredet, komplette Lebensgeschichten gehört."

Boris (19) studiert Elektrotechnik und jobbt nur in den Semesterferien. Warum? – „Ich fahre mit der Bahn, um mein Auto zu finanzieren."

Wer den Pfennig nicht ehrt

„Wie die Arbeit, so der Lohn", sagt eines der dümmsten Sprichwörter. Michaels Nebenjob beweist das Gegenteil. Er trägt Werbezeitungen aus. Einmal in der Woche flitzt Michael auf seinen Roller-Skates drei Stunden lang von Haus zu Haus, um die 400 Briefkästen seines Bezirks zu füttern. „Für jede Zeitung gibt es vier Pfennige. Das macht 16 Mark pro Tour", rechnet Michael vor. „Zum Glück habe ich meine Roller-Skates. Die Häuser liegen weit auseinander, und so kann ich auch schneller vor Hunden flüchten." Sein mühsam verdientes Geld trägt Michael (16) sofort zur Sparkasse: „Mit 18 will ich mir ein Auto kaufen." Eine große Auswahl an Jobs gibt es in der kleinen Stadt, wo Michael wohnt und zur Schule geht, nicht: „In den Ferien hast du die Wahl zwischen Baustelle und Bauernhof ..."

Wir hatten auch schon Mäuse im Rucksack

▶ Als man sie vor einigen Jahren zum ersten Mal sah, hielt man sie für Exoten. Heute gehören die Fahrradkuriere zum alltäglichen Straßenbild. Rund achtzig Kuriere – meist Studenten oder Schüler – radeln für die beiden Kölner Fahrradkurier-Firmen durch die Stadt. Eine der wenigen Frauen bei dieser anstrengenden Arbeit ist die 24jährige Johanna.

ist das schon gemein," sagt Johanna, „die sitzen da mit Cola oder Eis, und ich muss vorbeifahren."

▶ Zeit ist Geld. Mehr als zwei Stunden ist die Studentin jetzt schon unterwegs, zehn Kunden hat sie beliefert. Vor ihr liegen drei weitere Stunden auf dem Fahrrad.

▶ Während einer der wenigen Pausen rechnet sie ihren

einmal 20 DM. Dafür transportieren die Fahrradkuriere alles, was nicht schwerer ist als 10 Kilo – falls es in ihren wetterfesten Rucksack paßt.

▶ Manchmal transportieren sie kuriose Sachen. Johannas Kollege erinnert sich: „Eine Zeit lang mussten wir lebende Mäuse von einem Zoogeschäft zur Universität bringen, als Futter für Reptilien." Meistens aber ha-

▶ Ohne Mitleid drückt die Mittagshitze auf den Asphalt der Straße. Das Thermometer am Neumarkt zeigt 31 Grad im Schatten. Es ist 14.55 Uhr. Die Luft steht. Die Eisdielen und Straßencafés locken mit kühlen, erfrischenden Getränken. „Manchmal

Stundenlohn aus. „Bis jetzt sind es 15 Mark pro Stunde. Das ist bei diesem Wetter ganz gut."

▶ Die Fahrer erhalten einen Mindestlohn von 8 DM in der Stunde. Wer schnell fährt und viele Aufträge erledigt, verdient auch schon

ben sie Papier im Rucksack: Briefe, Dokumente, Zeichnungen und ähnliches.

▶ Johanna hat keine Zeit mehr. Aus ihrem Funkgerät tönt eine Stimme, die einen neuen Auftrag für sie hat, mit genauer Angabe der Adresse. Johanna überlegt einen Moment, welche Strecke am günstigsten ist, und dann fährt sie los.

Sie fährt schnell. Hier überholt sie einen anderen Radler, dort klingelt sie zwei Fußgänger aus dem Weg – viele Männer blicken hinter der jungen Frau her. „Es kommt vor, dass mal einer eine blöde Bemerkung macht, aber da höre ich einfach weg", sagt sie mir später, als ich sie danach frage.

Wenn eine Ampel auf Rot steht, müssen auch die Radfahrer halten. „Dann ruhe ich mich immer ein bisschen aus. Hetzen bringt gar nichts; das macht schnell müde. Ich teile mir meine Kräfte ein." Kraft und Ausdauer wachsen bei dieser Arbeit von selbst, doch ebenso wichtig sind gutes Reaktionsvermögen, um plötzlichen Gefahren auszuweichen, und Orientierungssinn, um die jeweilige Adresse ohne Probleme zu finden.

In die Pedale treten, während andere gemütlich ihr Eis schlecken: Kein leichtes Los bei 30 Grad im Schatten.

Rund 500 Kunden benutzen in Köln regelmäßig einen Fahrradkurierdienst. Johanna kennt viele Adressen auswendig.

In der Firma trifft sie Kollegen bei der Kaffeepause. Auf einer Bank liegen Helme, Turnschuhe und Regenjacken. Hier erfährt Johanna, dass zwei Kollegen Unfälle hatten. Michel wurde verletzt, als ein Autofahrer die Vorfahrt nicht beachtete, und Andi war in Straßenbahnschienen geraten und gegen ein Auto geprallt. Aber jetzt sitzt er schon wieder munter in der Firma.

Johanna muss wieder weg. Ein Fotolabor hat angerufen. Am Feierabend hat sie 60 km Radweg in den Beinen

und 80 DM verdient. Ohne Spaß am Sport geht das nicht. „Meine Freunde sagen, ich bin süchtig nach Radfahren, aber das ist übertrieben. Ich fahre eben nur gern. Fahrradkurier bin ich schon seit zweieinhalb Jahren."

„Und wie findest du Köln als ‚Fahrradstadt'?", frage ich. „Schlecht!", antwortet sie. „Die Radwege sind viel zu eng, und die Verkehrsteilnehmer – ob Radler, Fußgänger oder Autofahrer – denken nur an sich und nehmen keine Rücksicht."

NULL

CARSTEN UND ANDREA
HATTEN KEINE LUST MEHR AUF DIE SCHULE.

Manchmal denkt Carsten an Selbstmord. „Stundenlang liege ich nachts wach und überlege, wie ich weiterleben soll." Vorgestern hat er gekündigt, jetzt ist er wieder arbeitslos. Als Hilfsarbeiter hatte er einem Dortmunder Haus-
5 meister geholfen. „Den ganzen Tag habe ich Papier vom Boden aufgehoben. Ich sollte sogar die Scheiße von seinem Köter wegräumen ..."
Carsten hatte keine Lust mehr, rumkommandiert zu werden. Er mag nicht mehr täglich Schulhöfe säubern, für ein paar
10 Mark im Monat pünktlich zum Dienst erscheinen. „Ich möchte auch nicht Schlosser werden oder Lackierer. Wenn überhaupt, will ich irgendwas Künstlerisches machen."
Carstens Chancen sind gleich null. Er gehört zu den rund 50 000 Jugendlichen, die in Deutschland jährlich die
15 Schule abbrechen. Carsten musste die Schule verlassen, weil er seinen Englischlehrer geschlagen hatte. Die 4 200 Mark Krankenhauskosten kann Carsten nicht bezahlen. Wovon auch? Sein Geld braucht er für Drogen, er „verdient" es durch das Klauen von Autoradios. Einmal haben sie ihn er-
20 wischt. Er bekam eine Gefängnisstrafe auf Bewährung. „Ich hab keinen Bock auf Arbeit. Wofür?" Carsten erzählt von seinem Vater, der bei Opel eine Lehre gemacht hat und jetzt auf dem Bau den Bagger fährt. Carsten kann sich nicht vorstellen, jeden Tag körperlich hart zu arbeiten. „Dafür bin ich
25 mir zu schade", winkt er ab, „da mach ich mir lieber den Körper mit Drogen kaputt."
In der Bauindustrie gibt es Lehrstellen, auch für einen wie Carsten. 150 000 Plätze blieben im letzten Jahr unbesetzt. Carsten könnte auch als Handwerker oder Kellner arbeiten.
30 Aber er weigert sich. „Ich kann mich nicht anpassen, weil ich es nicht will", sagt er ganz offen. „Ich will nämlich nicht so werden wie meine Familie." Sein Vater hat seine Mutter und ihn häufig verprügelt. Dann hat er die beiden verlassen. Carstens Mutter schickte ihren Sohn weg, als der seine Dro-
35 genabhängigkeit offen zeigte. „Komm wieder, wenn aus dir etwas Vernünftiges geworden ist!", hat sie ihm gesagt.
Die glücklichste Zeit verbrachte Carsten in einem Heim. Dort lebte er mit zehn Jugendlichen und Sozialarbeitern in einer

BOCK

**OHNE ABSCHLUSS
HABEN SIE
ES SCHWER,
EINE ARBEITSSTELLE
ZU FINDEN.**

Wohngemeinschaft. „Damals war ich Punk, mit Irokesen-
40 haarschnitt und so. Alle haben mich zuerst abgelehnt. Nach
einiger Zeit haben wir uns ganz gut verstanden." ▬
Jetzt steht Carsten wieder vor dem Nichts. Das Arbeitsamt
gibt Jugendlichen ohne Beschäftigung Arbeit. Aber Carsten
gefällt diese Arbeit nicht. Sein Zuhause ist die Straße. Bei
45 der Mutter ist kein Platz mehr. Seine Freundin hat ihn verlassen. „Sie macht eine Lehre, hat mit Drogen und so nichts
am Hut. Irgendwann hab ich mir gesagt, du ziehst sie da
nicht rein." Carsten schluckt, wenn er von der Trennung erzählt. Ein Ausweg bleibt, aber davor hat Carsten Angst:
50 Nach Süddeutschland gehen. Dort gibt es mehr Lehrstellen
und eine größere Auswahl an Berufen. Aber er sagt: „Ich
komm doch auch hier nicht klar. Woanders habe ich nicht
mal mehr Freunde." ▬
Auch Andrea war ein Jahr lang arbeitslos. Sie hatte „keinen
55 Bock mehr auf Schule" gehabt. Morgens ging sie mit der
Freundin in die Stadt und nicht zum Unterricht. Ein
schlechtes Schulzeugnis und der vorzeitige Schulabbruch

waren die Folge. „Am Anfang war es ganz angenehm." Andrea hatte plötzlich viel Zeit für ihre Freunde. Alle beneide-
60 ten sie. Abends konnte sie lange fortbleiben, morgens bis 11
Uhr im Bett liegen. Als das langweilig wurde, ging sie jobben. Sie bügelte in Reinigungen und fegte Frisörläden.
Dann kamen Selbstvorwürfe, Angst vor Dauerarbeitslosig-
keit und die Blicke der anderen. „Ich glaube nicht, dass du
65 noch eine Stelle findest", sagte ihr damals eine Freundin.
Andrea hat sich das lange überlegt. ▬
Heute hat sie ein Ziel. „Ich mache meinen Hauptschul-
abschluß (Ende des 9. Schuljahrs). Danach fange ich eine
Lehre als Floristin an. Wenn ich keine Lehrstelle bekomme,
70 gehe ich ein Jahr länger zur Schule." Ihr Freund Christian
hat eine Lehrstelle als Schreiner bekommen. Die Berufs-
chancen der beiden sind gut. Jetzt haben sie gemeinsame
Pläne. „Wir mieten uns zusammen ein Zimmer", sagt
Andrea. Vielleicht wird ihr Traum Wirklichkeit: „Ich möchte
75 ins Grüne ziehen und eine Familie mit sechs Kindern
haben …" ▬

Axels Dienst

Zivildienstleistende, kurz „Zivis" genannt, lehnen den Kriegsdienst mit der Waffe aus Gewissensgründen ab. Statt 10 Monate Bundeswehr machen sie 13 Monate Dienst in einer sozialen Einrichtung. Axel Brodde, zwanzig Jahre, ist einer von ihnen. Der Dortmunder arbeitet im Erna-David-Zentrum, einem Altenpflegeheim.

6.00 Uhr Das frühe Aufstehen ist nicht leicht. Nach dem Frühstück, mit zwei Brötchen im Bauch, geht es schon besser. Ich fahre mit dem Fahrrad ins Heim.

6.30 Uhr Ich habe Frühdienst. Ich gehe durch die
5 Zimmer. Die meisten Leute sind schon wach. Manche führe ich zur Toilette, helfe beim Waschen und beim Anziehen. In den ersten zwei Monaten bin ich ganz oft mit den anderen Pflegern mitgegangen, um alles zu lernen. Heute kenne ich die alten Menschen und ihre
10 Eigenarten. Die kennen mich natürlich auch.

9.00 Uhr Es gibt Frühstück. Ich teile Kaffee aus und schmiere Brote. Ich gehe zu den Alten und Schwachen und füttere sie.

9.30 Uhr Jetzt habe ich selbst Frühstückspause.
15 Ich schmiere mir ein paar Brötchen und setze mich mit den Kollegen zusammen. Als Zivi frühstücke ich im Heim und esse dort auch Mittag. Ich kann auch im Heim wohnen. Aber meine Eltern leben nur zwei Kilometer vom Heim weg. Darum bin ich nicht umge-
20 zogen.

11.00 Uhr Wir Arbeitskollegen verstehen uns gut. Wir erzählen uns, was wir erlebt haben. Wir sprechen auch über unsere Probleme. Als ich neulich zum ersten Mal einen Toten gesehen habe, war das ein beklemmendes
25 Gefühl. Einer Frau, die im Sterben lag, habe ich die Hand gehalten. Ich habe ganz ruhig mit ihr geredet.

11.40 Uhr Wenn ich Zeit habe, rede ich mit den Leuten. Sie erzählen von früher. Manche sind geistig durcheinander. Sie reden von ihren Eltern und fragen, wann die
30 sie abholen. Auf einem Lehrgang hat man uns erzählt, dass man in Schichten lernt. Im Alter baut man diese Schichten wieder ab. Einzelgespräche finde ich sinnvoll. Leider hat man zu wenig Zeit dazu.

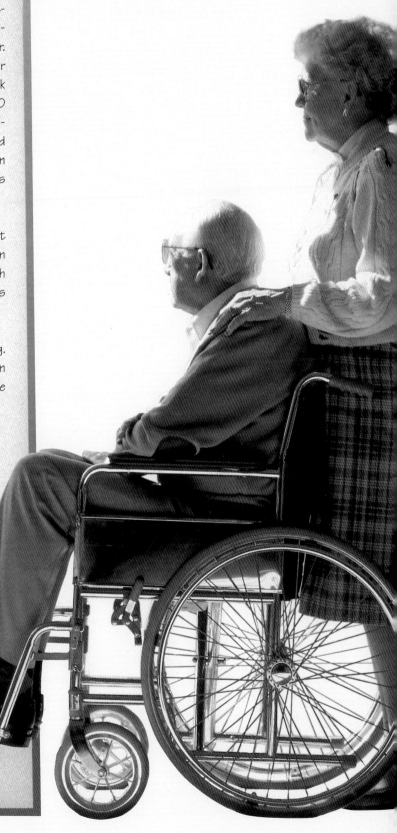

13.00 Uhr Dienstschluß. Die Kollegen der Spät-
35 schicht lösen uns ab. Es ist ziemlich hart, in der Al-
tenpflege zu arbeiten. Die Schulzeit war viel lockerer.
Jetzt muss ich oft am Wochenende ran. Ich habe nur
einen freien Tag pro Woche und bekomme 400 Mark
im Monat. Ein Sozialarbeiter verdient ungefähr 1800
40 Mark. Aber ich habe ein gutes Gefühl. Die alten Menschen sind wie gute Bekannte. Sie brauchen Hilfe und
sind auch dankbar dafür. Ich nehme meine Arbeit im
Heim sehr ernst. Nächstenliebe ist ein Prinzip, das
ich wichtig finde – für alles, was man tut.

45 13.30 Uhr Nach dem Mittagessen ist mein Dienst
zu Ende. Meistens fahre ich gleich zu meiner Freundin
Natalie. Wir kennen uns schon seit vier Jahren. Ich
kann ihr alles erzählen, von der Arbeit und so. Das
hilft mir sehr.

50 16.00 Uhr Täglich übe ich eine Stunde Schlagzeug.
Ich will das richtig gut lernen und spiele mit Freunden
in der Band „Emergency Call". Zweimal in der Woche
üben wir in einem Raum der Kirche.

17.30 Uhr Ich bin Christ und engagiere mich in der
55 Gemeinde. Das hat vor Jahren angefangen. Alle
Jugendlichen trafen sich damals in der Tee-
stube der Kirche. Wir haben dort in der Bibel
gelesen und diskutiert. Sonntags gehe ich
nicht in die Kirche. Aber ich besuche eine
60 Meditationsgruppe.

20.00 Uhr Ich habe Zeit für die Fern-
sehnachrichten. Ich finde gut, was
der Mandela machte. Der hat angefangen umzudenken. Das habe ich auch
65 gesagt, als ich meine Entschei-
dung für den Zivildienst begründen musste. Ich finde
Sozialdienst wie zum Beispiel
Altenarbeit sinnvoll. Gewaltfrei zu le-
70 ben ist für mich ein Ideal. „Du sollst nicht töten",
steht in der Bibel. Das ist ganz wichtig für mich.

Ich wollte einfach nicht mehr

▶ Als Günter Mertens bei der Baufirma kündigte, fühlte er sich einen Meter größer! „Es war wunderbar: Nie mehr oben im Baukran
5 sitzen und acht oder zehn Stunden lang den Hebel nach oben oder nach unten drücken! Keine Überstunden mehr, nie mehr auf den Feierabend warten! Nie mehr total kaputt nach Hause kommen,
10 müde bis in die Knochen, reif fürs Bett!"

▶ Vor zwei Jahren hat Kranfahrer Mertens, damals 42 Jah-

Auf den Bau geht er nie mehr: Günter Mertens mit einer seiner bunten Betonfiguren.

re alt, „alles hingehauen" – festes Ein-
15 kommen, Weihnachtsgeld und Urlaubsansprüche. Seitdem baut er im Schuppen unten im Garten Betonskulpturen, zentnerschwere, bunte Figuren, die er für mindestens zweiein-
20 halbtausend DM verkauft.

▶ Vor zwei Jahren sagten seine Freunde: „Du tickst nicht richtig!" Seine Frau fragte: „Wovon sollen wir leben?" Und sein Vater wollte
25 wissen: „Was ist mit deiner Rente?"

▶ „Rente?", sagt Günter Mertens heute, „ich lebe hier und jetzt! Was in einem halben Jahr ist, interessiert mich nicht. Ich bin ein
30 ganz anderer Mensch geworden in den letzten zwei Jahren. Ich kann wieder lachen, das Leben ist wieder schön."

▶ An seinem linken Ohr hängt ein kleiner Mann aus Silber,
35 ein Geschenk der Tochter zum neuen Leben. Seine Haare sind ganz kurz, seine Finger zerbissen von der stundenlangen Arbeit mit dem nassen Beton.

▶ Dreizehn Jahre
40 lang hatte er als Kranführer für eine Baufirma gearbeitet. Als er anfing, Ende zwanzig damals, hatte er gerade geheiratet. Vorher war er ein paar Jahre lang durch die Welt gezogen, hatte mal
45 hier, mal da ein bisschen gearbeitet und war nirgends lange geblieben.

▶ Sein Vater, ein Kaufmann, hatte immer gewünscht, sein Sohn „sollte etwas Besseres wer-
50 den". Aber daraus war nichts geworden.

▶ Die ersten Jahre als Kranführer waren nicht schlecht. „Ich habe nur das Geld gesehen", er-
55 zählt Mertens. „Ich sagte mir immer: Solange ich noch pfeifend zur Arbeit gehe, ist alles in Ordnung. Aber etwa nach elf Jahren habe ich nicht mehr gepfiffen. Es war ja immer dieselbe Ar-
60 beit, da passierte nichts Neues. Wenn man so einen Job hat, hört man irgendwann auf zu leben."

▶ Dann starben einige Freunde. „Die hatten auch gedacht,
65 ihre Sicherheit hängt vom Bankkonto ab, und dann – peng! – waren sie weg."

▶ Mertens, inzwischen über vierzig, wollte mehr vom Leben haben als ein kaputtes Herz und
70 ein paar Mark auf der Bank. Die Tochter war kein kleines Kind mehr, Haus und Garten gehörten ihm, „und fürs Essen und Trinken", hatte er ausgerechnet, „kriege ich immer so viel zusammen,
75 dass wir davon leben können."

▶ Seit Jahren hatte er in seiner Freizeit mit Beton experimentiert, und manche von seinen mannshohen Hunden, fetten Badeni-
80 xen und dicken Weihnachtsmännern hatte er schon verkauft. Pro Figur bekam er ein paar hundert Mark; damit hatte er die Haushaltskasse aufgebessert. Warum nicht mehr daraus ma-
85 chen?

▶ Eines Tages war es dann so weit. Er kündigte – ohne Krach, ohne besonderen Anlass. „Ich habe das einfach mal gewagt", sagt er. „Ich woll-
90 te einfach nicht mehr." ◆

Beat Brechbühl

Baukran

Dieser wortlose leicht gehbehinderte
Storch, er legt
ein Ding
von da nach da,
5 von hier nach dort.
Er ist ein gelber
Hinundhergeher.
Mittags und abends
verlässt ein Mann das Gehirn
und steigt die rote Leiter
herab.

Peter
Bichsel

Der Erfinder

Erfinder ist ein Beruf, den man nicht lernen kann; deshalb ist er selten; heute gibt es ihn überhaupt nicht mehr. Heute werden die Dinge nicht mehr von Erfindern erfunden, sondern von Ingenieuren und Techni-
5 kern, von Mechanikern, von Schreinern auch, von Architekten und von Maurern; aber die meisten erfinden nichts. Früher aber gab es noch Erfinder. Einer von ihnen hieß Edison. Er erfand die Glühbirne und das Grammophon, das damals Phonograph hieß, er erfand das Mikrophon und baute
10 das erste Elektrizitätswerk der Welt, er baute einen Filmaufnahmeapparat und einen Apparat, mit dem man die Filme abspielen konnte.
1931 starb er.

Er berechnete und zeichnete den ganzen Tag. Er saß stundenlang da, legte seine Stirn in Falten, fuhr sich mit der Hand immer wieder übers Gesicht und dachte nach.

Dann nahm er seine Berechnungen, zerriss sie und warf sie
30 weg und begann wieder von neuem, und abends war er mürrisch und schlecht gelaunt, weil die Sache wieder nicht gelang.

Er fand niemanden, der seine Zeichnungen begriff, und es hatte für ihn keinen Sinn, mit den Leuten zu sprechen. Seit
35 über vierzig Jahren saß er hinter seiner Arbeit, und wenn ihn einmal jemand besuchte, versteckte er seine Pläne, weil er fürchtete, man könnte von ihm abschreiben, und weil er fürchtete, man könnte ihn auslachen.

Ohne ihn wären wir ohne Glühbirnen.
15 So wichtig sind Erfinder.
Der letzte starb im Jahre 1931.
1890 wurde zwar noch einer geboren, und der lebt noch. Niemand kennt ihn, weil er jetzt in einer Zeit lebt, in der es keine Erfinder mehr gibt.
20 Seit dem Jahre 1931 ist er allein.
Das weiß er nicht, weil er schon damals nicht mehr hier in der Stadt wohnte und nie unter die Leute ging; denn Erfinder brauchen Ruhe.
Er wohnte weit weg von der Stadt, verließ sein Haus nie
25 und hatte selten Besuch.

Er ging früh zu Bett, stand früh auf und arbeitete den
40 ganzen Tag. Er bekam keine Post, las keine Zeitungen und wusste nichts davon, daß es Radios gibt.

Und nach all den Jahren kam der Abend, an dem er nicht schlecht gelaunt war, denn er hatte seine Erfindung erfunden, und er legte sich jetzt überhaupt nicht mehr schlafen.
45 Tag und Nacht saß er über seinen Plänen und prüfte sie nach, und sie stimmten.

Dann rollte er sie zusammen und ging nach Jahren zum ersten Mal in die Stadt. Sie hatte sich völlig verändert.

Wo es früher Pferde gab, da gab es jetzt Automobile, und im
50 Warenhaus gab es eine Rolltreppe, und die Eisenbahnen fuhren nicht mehr mit Dampf. Die Straßenbahnen fuhren

unter dem Boden und hießen jetzt Untergrundbahnen, und aus kleinen Kästchen, die man mit sich tragen konnte, kam Musik.

55 Der Erfinder staunte. Aber weil er ein Erfinder war, begriff er alles sehr schnell. Er sah einen Kühlschrank und sagte: „Aha."

Er sah ein Telefon und sagte: „Aha."

Und als er rote und grüne Lichter sah, begriff er, dass man 60 bei Rot warten muss und bei Grün gehen darf.

Und er wartete bei Rot und ging bei Grün.

Und er begriff alles, aber er staunte, und fast hätte er dabei seine eigene Erfindung vergessen.

Als sie ihm wieder einfiel, ging er auf einen Mann zu, der 65 eben bei Rot wartete und sagte: „Entschuldigen Sie, mein Herr, ich habe eine Erfindung gemacht." Und der Herr war freundlich und sagte: „Und jetzt, was wollen Sie?"

Und der Erfinder wusste es nicht.

„Es ist nämlich eine wichtige Erfindung", sagte der Erfin-70 der, aber da schaltete die Ampel auf Grün, und sie mussten gehen.

Wenn man aber lange nicht mehr in der Stadt war, dann kennt man sich nicht mehr aus, und wenn man eine Erfindung gemacht hat, weiß man nicht, wohin man mit ihr soll.

75 Was hätten die Leute sagen sollen, zu denen der Erfinder sagte: „Ich habe eine Erfindung gemacht."

Die meisten sagten nichts, einige lachten den Erfinder aus, und einige gingen weiter, als hätten sie nichts gehört.

Weil der Erfinder lange nicht mehr mit Leuten gesprochen 80 hatte, wusste er auch nicht mehr, wie man ein Gespräch beginnt. Er wusste nicht, dass man als Erstes sagte: „Bitte, können Sie mir sagen, wie spät es ist?", oder dass man sagt: „Schlechtes Wetter heute."

Er dachte gar nicht daran, dass es unmöglich ist, einfach zu 85 sagen: „Sie, ich habe eine Erfindung gemacht", und als in der Straßenbahn jemand zu ihm sagte: „Ein sonniger Tag heute", da sagte er nicht: „Ja, ein wunderschöner Tag", sondern er sagte gleich: „Sie, ich habe eine Erfindung gemacht."

90 Er konnte an nichts anderes mehr denken, denn seine Erfindung war eine große, sehr wichtige und eigenartige Erfindung. Wenn er nicht ganz sicher gewesen wäre, dass seine Pläne stimmten, dann hätte er selbst nicht daran glauben können.

95 Er hatte einen Apparat erfunden, in dem man sehen konnte, was weit weg geschieht.

Und er sprang auf in der Straßenbahn, breitete seine Pläne zwischen den Beinen der Leute auf dem Boden aus und rief: „Hier, schaut mal, ich habe einen Apparat erfunden, in dem 100 man sehen kann, was weit weg geschieht."

Die Leute taten so, als wäre nichts geschehen, sie stiegen ein und aus, und der Erfinder rief: „Schaut doch, ich habe etwas erfunden. Sie können damit sehen, was weit weg geschieht."

105 „Der hat das Fernsehen erfunden", rief jemand, und alle lachten.

„Warum lachen Sie?", fragte der Mann, aber niemand antwortete, und er stieg aus, ging durch die Straßen, blieb bei Rot stehen und ging bei Grün weiter, setzte sich in ein Re-110 staurant und bestellte einen Kaffee, und als sein Nachbar zu ihm sagte: „Schönes Wetter heute", da sagte der Erfinder: „Helfen Sie mir doch, ich habe das Fernsehen erfunden, und niemand will es glauben – alle lachen mich aus." Und sein Nachbar sagte nichts mehr. Er schaute den Erfinder 115 lange an, und der Erfinder fragte: „Warum lachen die Leute?" „Sie lachen", sagte der Mann, „weil es das Fernsehen schon lange gibt und weil man das nicht mehr erfinden muss", und er zeigte in die Ecke des Restaurants, wo ein Fernsehapparat stand, und fragte: „Soll ich ihn einstellen?" 120 Aber der Erfinder sagte: „Nein, ich möchte das nicht sehen." Er stand auf und ging.

Seine Pläne ließ er liegen.

Er ging durch die Stadt, achtete nicht mehr auf Grün und Rot, und die Autofahrer schimpften und tippten mit dem 125 Finger an die Stirn.

Seither kam der Erfinder nie mehr in die Stadt.

Er ging nach Hause und erfand jetzt nur noch für sich selbst. Er nahm einen Bogen Papier, schrieb darauf: „Das Automo-bil", rechnete und zeichnete wochenlang und monatelang 130 und erfand das Auto noch einmal, dann erfand er die Roll-treppe, er erfand das Telefon, und er erfand den Kühl-schrank.

Alles, was er in der Stadt gesehen hatte, erfand er noch ein-mal. Und jedes Mal, wenn er eine Erfindung gemacht hatte, 135 zerriss er die Zeichnungen, warf sie weg und sagte: „Das gibt es schon."

Doch er blieb sein Leben lang ein richtiger Erfinder, denn auch Sachen, die es gibt, zu erfinden, ist schwer, und nur Erfinder können es.

Peter Bichsel, Der Erfinder © 1969; 1989 bei Luchterhand Literaturverlag, Hamburg

Reise

Gesammelt von
Tilde Michels

Reiseswörter

Weltreise
Reiselust
Dienstreise
Reisewecker
Eisenbahnreise
Reiseprogramm
Gesellschaftsreise
Reisebekanntschaft
Geschäftsreise
Reisevertreter
Ferienreise
Reisegepäck
Luftreise
Reisegeld
Sommerreise
Reiseleiter
Auslandsreise
Reiseandenken
Vergnügungsreise
Reisegesellschaft
Studienreise
Reisebericht
Traumreise
Reisefieber
Autoreise
Reiseweg
Winterreise
Reisedecke
Seniorenreise
Reisebegleiter
Erkundungsreise
Reiseverpflegung
Urlaubsreise
Reiseverkehr

Tagesreise
Reisekoffer
Badereise
Reisezeit
Durchreise
Reiseführer
Hochzeitsreise
Reisegefährte
Entdeckungsreise
Reisebeschreibung
Abenteuerreise
Reisetagebuch
Besuchsreise
Reisewetter
Lustreise
Reisepass
Schiffsreise
Reisebüro
Vortragsreise
Reisetasche
Forschungsreise
Reiseabenteuer
Erholungsreise
Reiselektüre
Teepreise
Reisernte
Rundreise
Reiseziel

Willkommen
in der Alpenrepublik

Sonne, Sand und Samba –
Brasilien

Kommen Sie
nach Canyonland

Freiheit und Abenteuer
ab DM 999,–

Rundreise:
Vom Orinoko zum Amazonas

Entdecken Sie
den Palast von Knossos

Mauritius –
die Perle im indischen Ozean

Verwirklichen Sie Ihren Traum
mit unserem Schlüssel zum Paradies

Komm auf das Schiff meiner Träume

Ich träume lange, schon viel zu lange
von einer Insel im blauen Meer.
Von weißen Schiffen und braunen Mädchen,
von blauen Nächten und noch viel mehr.
Komm doch mit mir auf die Reise,
und wir vergessen die alte Welt.
Wo Palmen stehen an weißen Stränden,
gibt es ein Leben, das uns gefällt.

Komm auf das Schiff meiner Träume,
es liegt schon unten am Kai.
Unter den Sternen des Südens
wartet das Glück auf uns zwei.
Zwei Ukulelen, die klingen,
ein weißes Boot fährt vorbei.
Und dann hörst du, wie sie singen,
A-lo-ha-oe auf Hawaii.

Morgens Sonne und abends Sterne,
dazwischen Blüten und roter Wein.
Ganz ohne Sorgen ist jeder Morgen
im Land der Liebe, komm und steig ein.

Komm auf das Schiff meiner Träume ...

Birgit
Vanderbeke

Urlaubspläne

... und wenn wir am Nachmittag Luft geschnappt haben, sind wir meistens schon ganz vereinzelt durch die Natur gegangen, weil der Sonntag bereits zu Ende war, und ich habe gedacht, da hätten wir geradeso gut zu
5 Haus bleiben können, nur mein Vater hat meiner Mutter aus dem Büro erzählt, meine Mutter hat meinem Vater aber nicht aus der Schule erzählt, weil das Büro wichtig und mehr wert war als die Schule, oder sie haben Urlaubspläne ge-

macht und beschlossen, daß wir im
10 nächsten Jahr ans Meer fahren wür-den, nach Italien, Jugoslawien, Spani-en oder in die Türkei, die Entfernun-gen sind mit der Zeit immer größer ge-worden; meine Mutter hat Berge auch
15 sehr geliebt und gesagt, Österreich ist näher und kostet nur halb so viel, sie hat von den Bergseen geschwärmt, die es dort geben soll, und es haben ihr Blumenwiesen vor Augen gestanden,
20 sie hat sich vorgestellt, dass sie nach Herzenslust Arme voll Blumen in eine Holzhütte schleppen könnte, weil mei-

ne Mutter die Sehnsucht nach Dörflichem oft befallen hat, und die Feriensiedlungen dort im Süden, wohin wir immer
25 gefahren sind, haben sehr undörflich ausgesehen, es hat auch keine Blumenwiesen gegeben und Essen in riesigen Speisesälen; zwar ist meine Mutter froh gewesen, dass sie im Urlaub nicht kochen musste, sie hat aber gesagt, lieber ko-che ich auch im Urlaub, anstatt wieder schlaflos über der
30 Diskothek zu liegen, weil wir in Jugoslawien unsere Zimmer direkt über der Diskothek gehabt hat-ten, aber mein Vater hat gesagt, wenn wir nach Österreich fahren, kann uns der ganze Urlaub verregnen, und da
35 hat meine Mutter ihm gleich zuge-stimmt, dass wir wieder nach Süden fahren, weil mein Vater sehr angewie-sen ist, dass im Urlaub die Sonne scheint, einmal hat eine Woche lang in
40 der Türkei die Sonne nicht ununter-brochen geschienen, sondern nur stundenweise, und wir haben von Glück sagen können, dass sie dann in der zweiten Woche ununterbrochen
45 geschienen hat, obwohl meine Mutter Sonne nicht gut verträgt, sie wird schlagartig rot in der Sonne, während mein Vater nach seinem Sonnenbrand

ziemlich schwarz wird, meine Mutter
50 mag keinen Sonnenbrand, sie hat immer gesagt, ich kann mir nicht denken,
dass das gesund sein soll, so zu leiden,
aber mein Vater hat gesagt, da muss
man durch, ohne Sonnenbrand keine
55 Bräune, er hat uns allen Zitronensaft
auf die wunden Stellen geträufelt, wir
haben uns nie entscheiden können,
was schlimmer ist, Sonnenbrand mit
oder ohne Zitronensaft, meine Mutter
60 hat gesagt, von wegen Martyrium, so

wir mit zusammengebissenen Zähnen
versucht haben, unserem Vater zu imponieren und in die Sonne gegangen
sind, was aber auch nichts genützt hat,
75 denn nach dem Sonnenbrand hat sich
herausgestellt, dass wir längst nicht so
braun geworden sind wie der Vater,
wenigstens hat er uns aber nicht zimperlich nennen können wie meine
80 Mutter, die im Schatten verkrochen
war; es ist im Süden immer so heiß, hat
sie gejammert, dass man tagsüber gar
keine Lust hat, etwas zu tun, meine
Mutter hätte sich mittags gern hinge-
85 legt, sie hat gesagt, das machen die
Leute hier auch, eine Siesta, und stehen dann auf, wenn es kühler wird, das
hat mein Vater Vergeudung gefunden,
die haben die Sonne das ganze Jahr,
90 hat er gesagt, dafür fahren wir nicht in
den Süden, dass wir die Sonne nicht
ausnutzen, mein Vater hat vor dem Ur-

ist das Fegefeuer, mein Vater hat aber gesagt, das nützt, und
uns ausgelacht, wenn wir uns angestellt haben, stellt euch
bloß nicht so zimperlich an, hat er gesagt, und Schmerz ist
etwas Relatives, und das hat tatsächlich gestimmt, weil mein
65 Vater fast gar nicht empfindlich war gegen die Sonne, es ist
eine Frage der Charakterstärke, hat er gesagt, und meine
Mutter ist nicht sehr charakterstark, sondern eher charak-
terschwach dabei weggekommen, weil sie mit ihrer emp-
findlichen Haut sofort rot wurde in der Sonne und Urlaub im
70 Schatten gemacht hat, aus purer Zimperlichkeit, während

laub in Katalogen die durchschnittliche Sonnenscheindauer
pro Land und Jahr verglichen und dann errechnet, wie die
95 Wahrscheinlichkeit ist, eine ununterbrochene Sonnenscheindauer während der Urlaubstage herauszubekommen,
und deswegen wäre er nie in die Berge gefahren, wo es be-
wölkt sein kann, und es ist wahrlich kein Spaß gewesen, mit
meinem Vater verregneten Urlaub zu machen, deswegen
100 haben sie sonntags am Nachmittag, wenn sie Urlaubspläne
gemacht haben, immer beschlossen, nach Süden ans Meer
zu fahren.

Urlaub an der Ostsee

Anatomie einer Freizeit-maschine

Dies ist das neue Ferienzentrum Heiligenhafen. Es besteht aus Eigentumswohnungen, in denen die Eigentümer selten oder niemals wohnen. Das tun andere, tausende und abertausende, die diese Wohnungen für ihren Urlaub mieten. Wo
5 noch vor kurzem Sumpf, Sand und Heide war, schießen an der Ostsee die Monsterwohnblöcke aus dem Boden. Lauter „Logenplätze an der Ostsee". Wie sitzt es sich darauf?
Kati, 5 Jahre alt, wohnt auf C/8/11 (im Klartext: in Block C, im 8. Stock, in der 11. Wohnung). Um dorthin zu kommen,
10 muss sie einen der drei Lifte für die Blöcke C, D und E benutzen. Nur einer von den dreien hält auf C/8. Am Anfang hatte Kati Schwierigkeiten, den richtigen Lift herauszufinden, denn einer sieht aus wie der andere. Dass sich Kinder nicht nach Buchstaben- und Zahlenkombinationen orientieren, sondern z.B. nach Farben und Formen, das haben
15 die Erbauer und Organisatoren des „Ferienzentrums Heiligenhafen" nicht berücksichtigt. Trotzdem heißt es in ihrer Werbung, hier sei ein Paradies für Familien mit Kindern entstanden.

20 „Ein Ferienparadies, das neue Maßstäbe setzt" – so wird Heiligenhafen in der Werbung angepriesen. Das Paradies hat einen Wert von mehr als 100 Millionen Mark. Die 1400 Eigentumswohnungen sind verkauft, manche Leute haben fünf, zehn, ja zwanzig Wohnungen gekauft. Natürlich nicht,
25 um sie selbst zu benützen, sondern um damit Geld zu verdienen.
Nach zwei Tagen hat sich Kati in der Wohnmaschine zurechtgefunden. Und nicht nur das: Sie hat auch entdeckt, dass ein Lichtstrahl aus einer Lampe, die in der Lifttür ver-
30 steckt ist, die Automatik auslöst. Kati hat auch bemerkt, dass sich die Tür nur schließt und der Lift sich nur dann in Bewegung setzt, wenn dieser Strahl nicht unterbrochen wird. Jetzt macht Liftfahren Kati Spaß. Mit vier oder fünf Erwachsenen steigt sie ein. Sie drücken auf die Knöpfe der
35 Etagen, in denen sie aussteigen wollen. Nichts rührt sich. „Jetzt ist der Lift wieder kaputt", sagt jemand. Alle werden ärgerlich. Denn Kati hält ihr Händchen noch eine ganze Weile vor das Lämpchen.
Dieses einfallsreiche Mädchen hat noch eine zweite Mög-
40 lichkeit entdeckt, Spaß zu haben, ohne dafür bezahlen zu müssen. Sie besteht darin, mit Mutti durch den Supermarkt zu gehen. Und am Schluss, hinter der Kasse, schiebt sie den leeren Einkaufswagen auf seinen Standplatz zurück. Dabei lassen sich Umwege machen und
45 Hindernisse umfahren. Richtig lustig ist das, jeden Tag einmal. Mutti kauft regelmäßig ein, wie zu Hause in Hannover.

Mutti macht im „Ferienzentrum" überhaupt alles so wie in Hannover. Sie kauft ein, bringt die Wohnung in Ordnung, kocht und spült. Die übrige Familie – außer Kati besteht sie aus dem Vater, der neunjährigen Annette und dem dreijährigen Stefan – hilft natürlich etwas mehr als zu Hause. Sie hat in den Ferien ja auch mehr Zeit.

Und auch darin liegt ein Vorteil gegenüber Hannover: Der Weg zwischen Wohnung und Supermarkt ist viel kürzer als in der Stadt. Die niedrigen Blöcke mit den Geschäften wurden direkt vor den Zementgebirgen mit den 14 Stockwerken errichtet. Dazwischen liegt nur der weite Hof der Ferienanlage. Von oben betrachtet, sieht er aus wie ein Flugplatz mit diagonalen Pisten. Sie führen auf die sechs Haupteingänge zu. Der zweite rechts führt zu C/8/11.

Nie steht eine Tür auf, nicht eine von 1400 Wohnungen: Nie entsteht Nachbarschaftsleben auf diesen tristen Gängen. Die Farbe der Böden, der Wände, der Türen wechselt zwischen Grau, Beige und Braun. ... Von Zeit zu Zeit muss Kati den Lichtknopf drücken, sonst steht sie im Dunkeln. Sie spielt mit einem Ball, der an einer Gummischnur hängt. Das Kind ist allein.

Einen anderen Platz zum Spielen als diesen Flur ohne Fenster hat Kati in dem Gebäude nicht. 1400 Käfige, in denen die kleinen Familien gefangen sind, wurden zu diesem Riesenblock zusammengefasst. Kein Raum wurde ausgespart, in dem die Menschen zusammenkommen können, kein Raum, den jeder benutzen kann. Es gibt keine Hobbyräume, keine Spielzimmer für Kinder, keine Kindergärten in diesen Silos. Was immer an Gemeinschaftsräumen besteht, wurde in anderen Gebäuden untergebracht. Was hier fehlt, fehlt nicht aus Nachlässigkeit, sondern aus reiner Gewinnsucht. Das Ferienzentrum ist eine Geldfalle, und die Menschen darin sind Ausbeutungsobjekte und sonst nichts.

ALPTRAUM

33 Millionen Deutsche wollen mit dem Pkw in Urlaub fahren. Staus ohne Ende. Aggressivität am Steuer. Unfälle in Massen. Doch es gibt Wege aus dem Blechchaos.

Es ist so weit. Der tägliche Stauwahnsinn auf unseren
5 Straßen steigert sich spätestens im Sommer zum Alptraum.
Experten befürchten: „Die größte Autoreisewelle aller Zeiten
wird das ganze Land unter Blech setzen." Den ersten Vor-
geschmack erleben wir zu Ostern. Das Chaos hat drei
Gründe:

10 Es werden immer mehr Autos zugelassen. 1990 waren es
mit Nutzfahrzeugen fünf Millionen. Gesamtbestand knapp
50 Millionen.

80 Prozent des gesamten Personenverkehrs werden mit
dem Auto abgewickelt. 56 Prozent (etwa 33 Millionen) ver-
15 reisen mit ihrem Auto.

Die Nerven vieler Fahrer spielen nicht mehr mit. Folge:
Aggressivität, Angst, Unfälle und endlose Staus bis zum
stundenlangen Stillstand.

Experten haben errechnet: 15 Millionen Stunden Stau kom-
20 men bei uns jährlich zusammen. Das sind rund 21 000 Jah-
resurlaube zu je 30 Arbeitstagen. Dabei werden für nichts
zwei Milliarden Mark durch den Auspuff gejagt.

Doch was soll man tun? Die Antwort der Politiker: Der Etat
des Verkehrsministers wird weiter erhöht. Ein sinnvolles
25 Konzept? Kritiker sagen Nein: Noch mehr Straßen erzeugen
nur noch mehr Verkehr. Die einzige Ausfahrt aus dem Chaos
heißt: Vernunft!

Carola Mohn

Bei dem Urlaubs-Autorennen
ist der Stau fast liebenswert:
Ich kann futtern oder pennen,
lerne nette Nachbarn kennen,
5 die der Zufall mir beschert.

Meine 180 Spitze
imponieren keinem mehr,
dafür hör ich neue Witze,
und ich fühl mich trotz der Hitze
10 pudelwohl im Standverkehr.

Wir sind sonst in unserm Leben
viel zu sehr von Stress gepackt:
erst wenn wir nach Süden streben
und uns voll dem Stau ergeben,
15 blüht der menschliche Kontakt.

Süsters sind von ihrem ersten Stau-Urlaub begeistert zurückgekommen. „Ach, es war einfach wunderbar", sagte sie mit verklärten Augen, „der erste perfekte Urlaub seit Jahren."

5 „Wie kamen Sie eigentlich auf die Idee, Ihren Urlaub diesmal in einem Stau zu verbringen?", erkundigte ich mich.

„Nun, wir hatten unsere letzte Urlaubsreise in Rimini verbracht", schaltete sich ihr Mann ein, „und waren ziemlich enttäuscht gewesen."

10 „Da beschlossen wir, unseren Urlaub in diesem Sommer einmal ganz anders zu gestalten", sagte Frau Süster.

„Und wie kamen Sie nun auf ...", setzte ich an.

„Ach, mehr oder weniger zufällig", erklärte er

15 mir, „vor zwei Jahren waren wir in den schon legendären 120-km-Stau auf der Autobahn Karlsruhe – Basel geraten. Zuerst schmeckte uns das gar nicht. Wir bedauerten unsere verlorenen Urlaubstage ..."

„Aber dann", fuhr sie fort, „so nach etwa zwölf Stunden, fin-
20 gen wir an, Geschmack daran zu finden, und eine unendliche Ruhe überkam uns. Wie viel bekömmlicher ist doch so ein Schneckentempo als diese törichte Raserei!"

„Man sieht die Landschaft auf einmal mit ganz anderen Augen", sagte sie, „und übernachtet vielleicht sogar an ei-
25 nem idyllisch gelegenen kleinen Stausee. Überhaupt diese Nächte in Gottes freier Natur – einfach unvergesslich!"

„Auch ist man auf engstem Raum aufeinander angewiesen", ergänzte er sie, „eine echte Bewährungsprobe für jede Ehe. Endlich kann man sich in aller Ruhe aussprechen,
30 ohne vom Fernsehen abgelenkt zu werden."

„Und keine Post, kein Telefon, keiner weiß, wo man eigentlich steckt", sagte Frau Süster.

Dazu ihr Mann: „Plötzlich weiß man die kleinen Freuden zu schätzen, etwa wenn der Vordermann endlich drei Meter
35 vorrückt."

„Und diese herrliche Kameradschaft unter den Autofahrern", meinte sie, „vor so einem Stau sind ja alle Hubraumklassen gleich. Man lernt wunderbare Menschen kennen, die man bei dem üblichen Tempo gar nicht bemerkt hätte."
40 Herr Süster ergänzte: „Unsere Sabine lernte sogar im stehenden Verkehr ihren zukünftigen Gatten kennen ..."

Sie aber meinte sehr stolz: „Und Egon wurde Stau-Skatmeister der Ausfahrt Bühl!"

„Aber selbst der schönste Stau löst sich irgendwann mal
45 auf", sagte ich.

„Ja, und zwar meist, wenn es gerade am schönsten ist", räumte er ein, „aber durch die Servicewellen erfährt man ja dauernd von immer neuen Staus, da sucht man sich eben den nächstbesten aus. Oder man folgt den Radioanweisun-
50 gen und entdeckt einen Bundesstraßenstau in schönster Lage."

Und Frau Süster: „Oder man verlässt sich auf den Zufall und gerät in einen besonders dichten Stau bei Würzburg, der noch gar nicht gemeldet wurde, sozusagen ein Geheim-
55 stau."

Abenteurerurlaub

Herr Süster berichtete: „Denken Sie, in einem Stau beim Autobahndreieck Holledau bin ich endlich dazu gekommen, Prousts 'Auf der Suche nach der verlorenen Zeit' zu lesen – die ideale Stau-Lektüre."

60 „Wann und wo erwischt man wohl die besten Staus?", fragte ich.

„Natürlich an den Wochenenden, vor allem bei Beginn und am Ende der Urlaubsreisezeit. Uns wurden die Staus auf der Autobahn München – Salzburg sehr warm empfohlen, da
65 wollen wir nächstes Jahr hin."

„Und wie ist es mit dem Stau-Service, Essen, Trinken und so weiter?"

„Da bieten sich noch ungeahnte Möglichkeiten ...", sagte sie.

70 „Leider auch für eine unausbleibliche Stauvergnügungssteuer", brummte er dazwischen.

Sie reichte mir etwas: „Hier, probieren Sie mal! Das Allerneuste. Köstlich, aromatisch und erfrischend: Staugummi!"

Wolfgang Ebert

Joseph von Eichendorff

Sehnsucht

Es schienen so golden die Sterne,
Am Fenster ich einsam stand
Und hörte aus weiter Ferne
Ein Posthorn im stillen Land.
Das Herz mir im Leib entbrennte,
Da hab ich mir heimlich gedacht:
Ach, wer da mitreisen könnte
In der prächtigen Sommernacht!

Zwei junge Gesellen gingen
Vorüber am Bergeshang,
Ich hörte im Wandern sie singen
Die stille Gegend entlang:
Von schwindelnden Felsenschlüften,
Wo die Wälder rauschen so sacht,
Von Quellen, die von den Klüften
Sich stürzen in die Waldesnacht.

Sie sangen von Marmorbildern,
Von Gärten, die überm Gestein
In dämmernden Lauben verwildern,
Palästen im Mondenschein,
Wo die Mädchen am Fenster lauschen,
Wann der Lauten Klang erwacht
Und die Brunnen verschlafen rauschen
In der prächtigen Sommernacht.

Rainer Brambach

Im Juli und August

Seit Jahren, im Juli und August,
wenn die Villen, Ämter, Schulhäuser
und Fußballplätze verödet sind,
bekomme ich täglich Grüße von fern.
Der Briefträger wirft
einen Alphornbläser samt Gebirge,
die Seufzerbrücke, den Denker von Rodin,
einen Serben in Pluderhosen,
auch das schilfbestandene Ufer einer Nordsee-Insel
in meinen Kasten.

Freunde erinnern sich meiner,
nachdem die ohne mich fortfuhren.

Wohin geht die Reise?

1 Es geht wie-
der los. An diesem Wochenende,
wenn in mehreren Bundesländern
gleichzeitig die Ferien beginnen, wird
5 die erste große Reisewelle des Jahres
über die Autobahnen schwappen und
spätestens am Brenner oder Gotthard
zum Stau erstarren. Die Weltmeister
im Reisen – die Deutschen – sind wie-
10 der unterwegs ...

Es ist wirklich erstaunlich, welche
Strapazen die Reiselustigen auf sich
nehmen, um an das Ziel ihrer Wünsche zu gelangen. Stundenlanges War-
15 ten im Stau, vollgestopfte Züge, ver-
spätete Flüge, verpasste Anschlüsse.
Dauerstress für die Nerven. Auch über
den Wolken ist die Freiheit nicht mehr
grenzenlos. Die Klagen über den dro-
20 henden Zusammenbruch des Luftver-
kehrs werden immer lauter. Und die
Jagdszenen auf den Autobahnen können einem die Urlaubsfreude gleich
am Anfang vergällen.

25 **2** Wo alle zu-
gleich verbissen um ihren Platz an der
Sonne kämpfen, kann das Paradies
nicht sein. Und auf der Suche nach den
letzten „unberührten" Winkeln und
30 natürlichen Inseln beraubt der Touri-
stenstrom auch noch diese Reservate
ihrer Schönheit. Immer schneller, immer weiter, immer höher.

3 Soll man das
35 Reisen deshalb verbieten? Ist es nicht
eine der größten Umweltbelastungen
überhaupt, eine Gefahr für die Kultur
und die Gesundheit? Sicher wird niemand behaupten, der Fremdenver-
40 kehr habe irgendwo die Erde ver-
schönert. Und die angeflogenen Ziele,

»Aspirin, Togal, Alka-Seltzer, Spalttabletten ...«

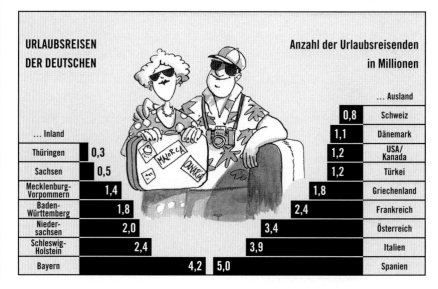

URLAUBSREISEN DER DEUTSCHEN		Anzahl der Urlaubsreisenden in Millionen	
... Inland			**... Ausland**
		0,8	Schweiz
		1,1	Dänemark
		1,2	USA/Kanada
Thüringen	0,3	1,2	Türkei
Sachsen	0,5	1,8	Griechenland
Mecklenburg-Vorpommern	1,4	2,4	Frankreich
Baden-Württemberg	1,8	3,4	Österreich
Niedersachsen	2,0	3,9	Italien
Schleswig-Holstein	2,4	5,0	Spanien
Bayern	4,2		

dafür hat die internationale Freizeitarchitektur gesorgt, werden immer ähnlicher, austauschbarer und hässli-
45 cher.

Nun gab es immer wieder Versuche, dieser Tourismusmaschine zu entkommen und sein stilles Glück an „unentdeckten" homerischen Gestaden zu
50 suchen. Leider haben aber auch die Hippies, die die Strände von Griechenland, Ceylon oder Goa eroberten, ähnlichen Schaden angerichtet wie die viel gescholtenen Massentouri-
55 sten. Denn ohne die Bereitschaft, die Sitten und Gebräuche der einheimischen Bevölkerung zu respektieren, wird die Entdeckung zur Invasion. Mit der friedlich-naiven Unschuld der Ein-
60 heimischen ist es dann bald vorbei. Bezahlt wird in bar.

Auch die gut geführten Abenteuerfahrten durch den Dschungel von Borneo
90 oder in den Himalaja haben ihren Neu-
65 igkeitswert verloren. Von Land und Leuten erfährt eine solche Expedition von Zivilisationsmüden ohnehin herzlich wenig. Wirkliche Schätze bringen
95

offenbar nur noch diejenigen nach
70 Hause, die sich nach Art des klassischen Bildungsreisenden darum bemühen, Kultur, Geschichte und Tradition der besuchten Region zu verstehen, im Idealfall auch die Sprache
75 des Gastgebers zu lernen. Doch das sind seltene Ausnahmen. Der Typ des sprachlosen, erlebnishungrigen Nomaden herrscht leider vor; auch im Urlaub dreht er sich meist um die
80 eigene Achse oder bleibt im Kreise seiner Landsleute.

4 ▶ Sollen wir deshalb am besten zu Hause bleiben, auf dem Balkon, vor dem Fernseher oder
85 in der Hängematte? Erholsamer wäre es – das beweisen britische Untersuchungen – für die meisten allemal. Denn die ständige Angst, am Urlaubsort betrogen oder ausgeraubt zu wer-
90 den, oder der Gedanke an die unbewachte Wohnung belasten offenbar die schönsten Wochen des Jahres weit mehr, als mancher zugeben möchte. Ärger mit dem Ferienquartier und an-
95 deres kommen hinzu. Für das Daheim-

bleiben spräche also vieles. In Ruhe könnte die nähere Heimat erkundet, könnten Hobbys gepflegt oder lang entbehrte Wohltaten für Geist und
100 Körper genossen werden.

5 ▶ Das Geheimnis des glücklichen Reisens ließe sich vielleicht so umschreiben, dass dabei nicht die Flucht vor einer unbefriedi-
105 genden Existenz die Hauptrolle spielt, sondern der Wunsch, dem Unbekannten mit wachen, offenen Augen zu begegnen. Ernsthaft kann niemand glauben, dass er mit dem Flugticket die
110 große Freiheit bucht. Die Zwänge des organisierten Alltags wiederholen sich auch in den Hotel-Reglements, den Strandordnungen oder in der Gestalt des Gehorsam heischenden Reisefüh-
115 rers oder Clubanimateurs. Wer die Verantwortung für die Gestaltung der eigenen Ferien abgibt, hat es zwar billiger und bequemer, verzichtet aber auch auf ein Stückchen Freiheit. Diese
120 kann eben nur erobert, nicht gekauft werden.

Eugen Roth

Sinn des Reisens

Die Meinung von den Reisezwecken
Wird sich durchaus nicht immer decken,
Wie große Zeugen uns beweisen.
Man reise wohl, nur um zu reisen,
Meint Goethe, nicht um anzukommen.
Begeistrungskraft, genau genommen,
Sei der ureigenste Gewinn.
Montaigne sieht des Reisens Sinn
Nur darin, dass man wiederkehrt.

Darauf legt auch Novalis Wert;
Er drückt es ungefähr so aus:
Wohin wir gehn, wir gehn nach Haus!
Doch Seume, der – und zwar zu Fuß! –
Spazieren ging nach Syrakus,
Sah geistig, sportlich an die Dinge:
„'s würd besser gehn, wenn man mehr ginge!"

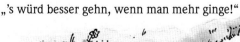

„Der Klügere gibt nach"

Also ehrlich, Leute, bin froh, dass ich wieder heil zu Hause bin. Ich hab vielleicht was hinter mir! Ihr werdet es mir kaum glauben. Also, ich bin ja schon mächtig in der Welt rumgekommen, aber so ein Abenteuer wie dieses habe ich noch nie erlebt. Dabei fing alles ganz harmlos an. Ich hatte mir doch glatt dieses Jahr eingebildet, mit dem Motorrad durch Sri Lanka zu fahren. Ihr wisst schon, das ehemalige Ceylon. Kleine Insel vor Indien. Habe mir auch gleich ein Dutzend Reiseführer gekauft. Hübsche Insel mit friedlichen Menschen, stand da drin. Da habe ich mir gedacht, das ist genau das Richtige für dich. Ich habe mir von hier aus ein Motorrad gemietet. Stand auch da wie eine Eins, als ich es mir abgeholt habe. Nettes Ding, zwar nur 200 Kubik, aber ganz flott. Na, mit dem schlitzäugigen Vermieter habe ich mich erst einmal ordentlich gestritten. Wohnt in der Dritten Welt und will mir erklären, wie man ein Motorrad bedient! Dem habe ich es aber tüchtig gegeben. Bin also gleich durchgestartet, und was soll ich euch sagen: lauter Irre auf der Straße. Ich biege ganz friedlich rechts in die Hauptstraße ein, und was passiert? Die fahren alle glatt auf der falschen Straßenseite und kommen mir entgegen. Wirklich, zuerst wollte ich ganz freundlich mit ihnen diskutieren, dass sie auf dem falschen Dampfer sind, aber die haben mich nur ausgelacht. Was kann man auch von so Analphabeten anderes erwarten. Nach meinem bewährten Motto „Der Klügere gibt nach" bin ich dann auch links gefahren. Straßen hat's da, echt zum Heulen. Viel zu schmal, viel zu kaputt, viel zu sandig. Und das Chaos darauf erst! Bürgersteige kennen die hier wohl nicht. Und ihr ganzes Viehzeug lassen sie auch einfach auf der Fahrbahn rumwandern. Ich war richtig froh, als ich die Stadt verlassen hatte. Auf der Küstenstraße war der Verkehr etwas ruhiger. Dafür brannte mir die Sonne ordentlich auf den Kopf. Ich hätte mir wohl besser einen Hut mitnehmen sollen. Auf den Oberschenkeln hatte ich gleich einen Sonnenbrand weg. Geschwitzt habe ich aus allen Poren, selbst der Fahrtwind war noch heiß. Ich bekam ganz schön Durst und spähte nach einem Getränkekiosk. Weit und breit nichts zu sehen. Endlich entdecke ich einen kleinen Stand an der Straße und halte sofort an. Ich sage dem Typen in seinem Bretterverschlag, dass ich was zu trinken möchte. Grinst der mich an und gibt mir eine aufgeschlagene Kokosnuss. Also echt, er hätte sie mir wenigstens auspressen können! Ich knalle ihm das Ding wütend auf den Tisch und gehe durstig zu meinem Motorrad zurück. Schimpft der Kerl auch noch hinter mir her! Zum Glück erreiche ich bald mein erstes Hotel. Das Zimmer hat Klimaanlage, und es gibt echt deutsches Bier.

Was ich über den Tourismus in Sri Lanka denke

„Hätten sich unsere großen Ahnen wie DUTUGAMUNU, PARAKRAMBAHU, VIJAYBAHU wohl je vorstellen können, daß
5 eines Tages Nackte und Halbnackte an unseren Stränden (und letzthin sogar auf den Straßen) promenieren würden? Was geschieht mit unseren Schülern? Zuerst die Zigaretten, ein
10 Jahr später der Griff zur Flasche, Heroin, Haschisch, Marihuana gleich danach. Die Folgen davon zeigen sich in der steigenden Kriminalität.
Man muss sich nur in irgendeiner
15 Schule umhören: Was für eine Sprache! Worte, die vor zehn Jahren höchstens in der allergrößten Wut ausgesprochen wurden, gehören heute zum täglichen Vokabular. Man müsste blind
20 sein, wenn man den Zusammenhang mit der Tourismusexplosion verneinen würde.
Wenn wir nun aber den Tourismus verbannen ... was ist mit dem Geld, das uns hier entgeht? Was würde mit den tausenden von Arbeitslosen geschehen? Meine persönliche Meinung ist folgende:

25 Lasst dieses Krebsgeschwür wachsen. Aber sobald wir einen gewissen Standard erreicht haben, lasst es uns mitsamt den Wurzeln ausrotten. Mir bleibt nur zu warten, zu hoffen und zu beten, dass wir dieses Ziel baldmöglichst erreichen werden."
S. Amarasiri, 15 Jahre

Dieses Foto entstand an einem Vulkansee im Zentrum von Bali. Es zeigt den Theatertänzer *I Made Sidia* in seiner neuesten Rolle: Er verkörpert den Dämon des Tourismus. Normalerweise stellt *I Made Sidia* die balinesischen Hauptdämonen dar, wie etwa den Kriegsgott oder auch die Königin des Meeres. Auf Bitte des österreichischen Fotografen Amiel Pretsch entwarf der 25-jährige den „Dämon Urlauber" – eine Figur, die dem Touristenbild der jungen Balinesen entspricht.

Foto: Amiel Pretsch

Pur

Kowalski

Endlich Pause, die Urlaubsreise
war überfällig und diesmal teuer.
An Zuhause erinnert nichts mehr,
oh, die Karibik verzaubert ungeheuer.

Oh dieser Hüftschwung
und diese Kokoshaut.
Die kleine Tropic-Bar
direkt am Strand gebaut.

Was brauch ich noch,
was will ich mehr,
das Paradies ist hier.
Da hör ich direkt hinter mir:
„Ham'se kein deutsches Bier?"

Kowalski verfolgt mich überall.
Kowalski, der absolute Härtefall.
Kowalski bekleckert sich mit Rum.
Kowalski lallt auf der ganzen Welt herum.
Unter Palmen,
mit Strohhalmen,
Piña colada,
er torkelt auf der Strada.

Er erzählt mir
von Sweet Maria
und der Impfung
gegen Malaria.

Dann fängt er an zu grölen:
„Ich hab noch Sand in den Schuhen ..."
Ich krieg 'ne Krise,
wann läßt er mich in Ruh?

Ich wünsch mich ganz weit weg,
am besten zu den Eskimos.
Da haut er mir aufs Kreuz:
„Da war ich schon, da is nix los."

Kowalski, hoolahoola hoo,
Kowalski, japadapadoo,
Kowalski, zu viel Rum, das haut den Otto um, bum!

F. K. Waechter

Meine Reisen

April 74, Mallorca   Okt. 74, Sardinien   Mai 75, Teneriffa

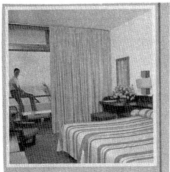

Juli 76, Sotschi   Dez. 76, Sri Lanka   Mai 77, Rhodos

März 78, Kenya   Nov. 78, Algarve   März 79, Djerba

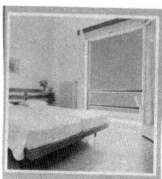

Sept. 79, Lanzarote   Januar 8o, Gambia   März 83, Korfu

Fritz
Wolf

Leseratten

**Anmerkungen zur
Urlaubslektüre**

Viele Urlauber kommen kaum in
die Lage, ein Buch zu lesen . . .

. . . und andere bereuen, daß sie
keins mitgenommen haben.

Auf Literaturinteressierte stößt
man in jedem Urlaub . . .

. . . wobei manchmal eine Art
Zensur stattfindet . . .

. . . und mehr als ein Buch
sollte man schon mitnehmen.

Man kann nicht hoffen, überall
deutschsprachige Bücher zu finden . . .

. . . mit Zeitungen ist
das etwas anderes!

Natur

Entlang der dänischen, deutschen und holländischen Nordseeküste erstreckt sich das Wattenmeer. Das ist ein viele Kilometer breites Flachmeer, das zweimal täglich vom Nordseewasser überflutet wird.

5 Vielleicht sind Sie enttäuscht, wenn Sie das Watt zum ersten Mal bei Ebbe besuchen. Dann sieht es aus

Das Wattenmeer ...

einmalig

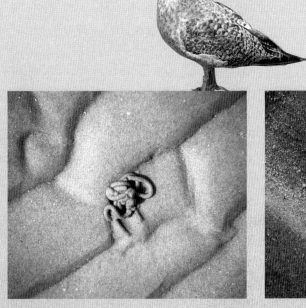

wie eine eintönige, schlammige Wüste. Aber in Wirklichkeit ist das Wattenmeer sehr lebendig. Im Wattboden wohnen zehnmal mehr Tiere als im normalen Meeresboden. Bis zu 10 100 000 Muscheln, Schnecken, Krebse und Würmer leben auf einer Fläche, die so groß ist wie ein normaler Küchentisch!

Von den vielen Kleintieren ernähren sich die Vögel im Watt. Manchmal sind Millionen Vögel gleichzeitig im Wattenmeer. 15 Zum größten Teil sind es Schnepfenvögel, Möwen, Gänse

und Enten. Viele Vögel kommen von sehr weit her. Ihre Brutgebiete liegen zum Beispiel in Grönland oder Sibirien. Den größten Teil des Jahres verbringen sie im Watt, weil sie hier Nahrung im Überfluss finden.

20 Andere Vögel brüten an den Küsten und auf den Inseln des Wattenmeeres. Für sie wurden Schutzgebiete eingerichtet. Vogelwärter passen auf, dass die Vögel in der Brutzeit von Menschen nicht gestört werden.

Das Wattenmeer ist die Kinderstube vieler Nordseefische. Ihre 25 Jungen wachsen hier im flachen, warmen Wasser heran.

Erst wenn sie groß sind, wandern sie hinaus in die offene Nordsee.

Das Wattenmeer ist ganz besonders empfindlich gegen Verschmutzung, weil das Wasser so flach ist und weil ungeheuer 30 viele Lebewesen hier wohnen. Ein Tankerunfall im Wattenmeer wäre eine unvorstellbare Katastrophe. Bei Ebbe würde das ausgelaufene Öl nämlich auf den Wattboden sinken und alles Leben abtöten. Viele Umweltschutzverbände wollen das Wattenmeer vor der Zerstörung retten. 35 Denn das Wattenmeer ist einmalig auf der Erde.

Der Nordsee geht es schlecht

Die Nordsee – eine riesige Müllkippe

Auf tausenden von Schiffen entstehen viele Tonnen Abfall. Die werden einfach über Bord gekippt und landen als Treibmüll an den Stränden. Der Müll wird für viele Tiere zur Todesfalle. Seevögel erdrosseln sich an Plastikschnüren, Möwen verletzen sich an Blechdosen mit scharfen Deckelrändern. Robben ersticken in Plastiktüten.

Müllverbrennung auf der Nordsee

Viele Chemiefabriken schicken giftige Abfälle mit Tankern aufs Meer. Sie lassen sie dort verbrennen und schütten sie einfach ins Meer. Was da aus den Kaminen der Schiffe kommt, verpestet die Luft und vergiftet das Wasser.

Eingedeicht und trockengelegt

Deiche sind Dämme aus Erde, Stein und Beton. Sie verhindern Überschwemmungen. Baumaschinen und Bagger ziehen schnurgerade Deiche durchs Wattenmeer. Ganze Küstenstriche werden dadurch trockengelegt. In den eingedeichten Gebieten ist kein Platz für die Watttiere. Hier suchen sie vergeblich nach Nahrung.

Vom Himmel
in die Nordsee

Fabrikschornsteine blasen täglich unglaubliche Mengen Gift in die Luft. Mit dem Regen kommt dieses Gift in die Flüsse und ins Meer.

Ölvögel

Vögel mit Öl im Gefieder sind kein seltenes Bild an der Nordsee. Ölverschmierte Vögel sterben einen qualvollen Tod. Das meiste Öl stammt von den vielen Schiffen. Sie reinigen ihre Tanks auf offener See und hinterlassen auf dem Wasser schmierige Ölspuren.

Kranke Fische

Dort, wo die Flüsse in die Nordsee münden, sind über die Hälfte aller Fische krank. Sie leiden an Hautkrankheiten, die durch die Gifte im Wasser entstehen. Viele Fische kann man deswegen nicht mehr essen.

Das Meer
wird gedüngt

Überall düngen die Bauern ihre Felder. Die Düngemittel wandern mit dem Regenwasser von den Äckern ins Grundwasser und wandern von dort in die Flüsse und Meere. Der Dünger lässt die Algen schnell wachsen. Durch die Bewegung der Wellen entstehen meterhohe Berge aus Schaum. Die Folge: Sauerstoffmangel. Das Meer erstickt.

Theodor Storm

Der Schimmelreiter

„Jetzt aber kam auf dem Deiche etwas gegen mich heran; ich hörte nichts, aber immer deutlicher, wenn der halbe Mond ein karges Licht herabließ, glaubte ich eine dunkle Gestalt zu erkennen, und bald, da sie näher
5 kam, sah ich es, sie saß auf einem Pferde, einem hochbeinigen hageren Schimmel; ein dunkler Mantel flatterte um ihre Schultern, und im Vorbeifliegen sahen mich zwei brennende Augen aus einem bleichen Antlitz an.

Wer war das? Was wollte der? – Und jetzt fiel mir bei, ich hat-
10 te keinen Hufschlag, kein Keuchen des Pferdes vernommen; und Ross und Reiter waren doch hart an mir vorbeigefahren!

Das Wasser war, trotz des schützenden Deiches, auffallend
20 bewegt; der Reiter konnte es nicht getrübt haben; ich sah nichts weiter von ihm. Aber ein anderes sah ich, das ich mit Freuden jetzt begrüßte: ...“

Der „Erzähler“ sieht Lichter. Er reitet schnell darauf zu und erreicht ein Wirtshaus. Dort berichtet er den Leuten von der
25 seltsamen Begegnung auf dem Deich. Und der alte Dorflehrer erzählt dem Fremden die Geschichte vom Schimmelreiter.

Der junge Hauke Haien interessiert sich schon als Kind für den Deichbau. Er erkennt:

In Gedanken darüber ritt ich weiter, aber ich hatte nicht lange Zeit zum Denken, schon fuhr es von rückwärts wieder an mir vorbei; mir war, als streifte mich der fliegende Mantel,
15 und die Erscheinung war, wie das erste Mal, lautlos an mir vorübergestoben. Dann sah ich sie fern und ferner vor mir; dann war’s, als säh ich plötzlich ihren Schatten an der Binnenseite des Deiches hinuntergehen ...

„Unsere Deiche sind nichts wert ... Sie taugen nichts ... Die
30 Wasserseite ist zu steil. Wenn es einmal kommt, wie es mehr als einmal schon gekommen ist, so können wir hier auch hinterm Deich ersaufen! ... Die Deiche müssen anders werden! ...“

Hauke arbeitet als Knecht für den Deichgrafen. Als der stirbt,
35 heiratet er die Tochter Elke und wird der neue Deichgraf, ob-

wohl er kein Land besitzt. Doch Hauke ist für das Amt gut ge-
eignet: Er hat technische Kenntnisse, Ehrgeiz und ganz neue
Ideen. Er zeichnet Pläne für einen Deich mit einem breiten
40 Profil – nicht steil wie früher, sondern flach. Die Dorfbewohner sind skeptisch und neidisch:

„Der alte wurde Deichgraf seines Vaters, der neue seines
Weibes wegen."

Und sie haben Angst vor der dämonischen Kraft des Meeres.
45 Der Deich – der Hauke-Haien-Koog – wird gebaut; und als Elke endlich – nach neun Ehejahren – eine Tochter bekommt,
scheint das Glück perfekt. Jahre vergehen. Aber dann
kommt eine große Sturmflut. Die Dorfbewohner wollen den
neuen Deich zerstören, um den alten zu retten. Im selben
50 Moment bricht der alte, schwache Deich. Haukes Familie er-
trinkt. Aus Verzweiflung stürzt sich der Deichgraf auch in die
Flut.

„‚Das ist das Ende!', sprach er leise vor sich hin; dann ritt er
an den Abgrund, wo unter ihm die Wasser, unheimlich rau-
55 schend, sein Heimatdorf zu überfluten begannen; noch immer sah er das Licht von seinem Hause schimmern … Er
richtete sich hoch auf und stieß dem Schimmel die Sporen
in die Weichen; das Tier bäumte sich, es hätte sich fast über-
schlagen; aber die Kraft des Mannes drückte es herunter.
60 ‚Vorwärts!', rief er noch einmal, wie er es so oft zum festen
Ritt gerufen hatte: ‚Herr Gott, nimm mich; verschon die andern!' Noch ein Sporenstich; ein Schrei des Schimmels, der
Sturm und Wellenbrausen überschrie …"

Ein kurzer Kampf, und er versinkt. Der Hauke-Haien-Koog
65 aber hält.

Seit dem Tag erzählen sich die Dorfbewohner die Geschichte vom Geisterreiter. Und immer, wenn eine Sturmflut droht,
wird er gesehen – der Schimmelreiter.

Die Entstehungsgeschichte der Novelle

Die nordfriesische Landschaft prägte das Schaffen von Theo-
70 dor Storm. Vor allem die Stadt Husum – Schauplatz seines
Lebens und seiner Werke. Dort ist der Dichter auch 100 Jahre nach seinem Tod noch allgegenwärtig. Die Örtlichkeiten
seiner Zeit – Häuser, Straßen und Plätze – sind alle noch zu
sehen.
75 Theodor Storms Novellen und Gedichte wurden in viele Sprachen übersetzt. „Der Schimmelreiter", das letzte Werk des
Dichters, ist wohl das berühmteste. Es enthält noch einmal
die typischen Storm-Motive und Themen: Meer, Landschaft,
Menschen, Liebe und Tod.

80 Lange Jahre hatte Theodor Storm diesen Stoff mit sich her-
umgetragen – fast wie Goethe seinen Faust –, ohne ihn poe-
tisch gestalten zu können. Schon im Februar 1885 schrieb
er an seine älteste Tochter: „Jetzt spukt eine Deichsage, von
der ich als Knabe las, in mir; aber die Vorstudien sind sehr
85 weitläufig." Diese Studien bezogen sich unter anderem auf
komplizierte Fragen des Deichbaus. Aber erst im Herbst
1887 konnte Storm die Arbeit am „Schimmelreiter" wieder
aufnehmen: Sein Sohn Hans war gestorben (1886), er selbst
schwer krank. Am 9. Februar 1888 war die Deichgrafen-Ge-
90 schichte fertig – kurz vor seinem Tod.

Theodor Storm packte seine Novellen immer in einen Rah-
men (beim Schimmelreiter sind es sogar zwei). Damit rückt
er die erzählte Geschichte in eine epische Ferne, aber der
Jetzt-Erzähler und der Zuhörer erleben sie direkt im gleichen
95 Moment. Diese Rahmentechnik verfremdet und verbindet
zugleich.

Theodor Storm

Die Stadt

Am grauen Strand, am grauen Meer
und seitab liegt die Stadt;
der Nebel drückt die Dächer schwer,
und durch die Stille braust das Meer
eintönig um die Stadt.

Es rauscht kein Wald, es schlägt im Mai
kein Vogel ohne Unterlass;
die Wandergans mit hartem Schrei
nur fliegt in Herbstesnacht vorbei,
am Strande weht das Gras.

Doch hängt mein ganzes Herz an dir,
du graue Stadt am Meer;
der Jugend Zauber für und für
ruht lächelnd doch auf dir, auf dir,
du graue Stadt am Meer.

Natur hat Vorrang

Fluglärm·Produktionslärm·Mopedlärm·Schiffslärm
Radiolärm·Autolärm·Spielplatzlärm·Baulärm
Fernsehlärm·Freizeitlärm·Schullärm·Rasenmäherlärm

STOP

Leiser ist schöner!

Spülwasser·Waschwasser·Toilettenwasser·Putzwasser
Duschwasser·Kochwasser·Kühlwasser·Badewasser
Zahnputzwasser·Bohrwasser·Bleichwasser·Rieselwasser

STOP

Natur hat Vorrang!

Autoabgase·Heizungsabgase·Mopedabgase·Reinigungsabgase
Kraftwerksabgase·LKW·Abgase·Lösungsmittelgase·Spraygase
Industrieabgase·Flugzeugabgase·Bootsabgase·Rasenmäherabgase

STOP

Atmen ist Leben!

Spülmittel·Vorwaschmittel·Einweichmittel·Glanzmittel
Hauptwaschmittel·Feinwaschmittel·Pflegemittel·Scheuermittel
Fenstermittel·Fußbodenmittel·Weichspülmittel·Klarspülmittel

STOP

Wasser ist Natur!

Auf einsamer Fahrt

Er ist der letzte Fischer in Altenwerder: Heinz Oestmann. Von montags bis freitags fischt er draußen vor der Elbmündung und in der Deutschen Bucht. Am Wochenende fährt er mit seinem Kutter „Nordstern" in Richtung Hamburger Hafen und macht bei Altenwerder fest. Früher lag hier Kutter neben Kutter. Doch jetzt kommt Oestmann allein.

Früh am Samstagmorgen wird es hier an der Anlegestelle lebendig. Oestmann hat die Kästen mit den frisch gefangenen Fischen aufgestellt, und die ersten Käufer kommen. Der Fischer ist zufrieden mit seinem Fang. „Man muss ja auch mal etwas Gutes berichten", sagt er. Er war draußen in dem Seegebiet, wo lange Zeit Dünnsäure „verklappt" wurde: Die giftigen Industrieabfälle wurden einfach ins Meer geschüttet. Das ist jetzt vorbei. Oestmann: „Früher waren da kaum noch Fische – und wenn, dann waren sie klein und krank. Das hat sich wieder geändert." Oestmann fängt wieder in seinen alten Jagdgebieten.

Der Mann sieht mit seinem schwarzen Vollbart und seinem wilden Haar genau so aus, wie man sich einen Meeresfischer vorstellt. Er wohnt, wie seine Familie seit Generationen, in dem Dorf Altenwerder an der Elbe, das seit 1937 zu Hamburg gehört. Von einem Dorf kann allerdings nicht mehr die Rede sein, denn die Stadt Hamburg hat schon in den Siebzigerjahren begonnen, den Hafen zu vergrößern. Sie hat damals die meisten Bewohner Altenwerders überredet oder gezwungen, den Heimatort zu verlassen. Der Hafen wurde ausgebaut, und am Dorfrand stiegen riesige Betonpfeiler hoch, auf denen die Autobahn verläuft. Haus für Haus wurde von der Stadt gekauft und gleich danach mit dem Bagger und der Abrissbirne dem Erdboden gleichgemacht. Man wollte den Leuten zeigen, dass sie nie mehr zurückkehren könnten. Und deshalb gingen sie nach

und nach. Nur 35 von den früher 2 500 Einwohnern sind geblieben.

Die Vernichtung des Ortes geschah aber nicht lautlos und ohne Proteste. Einige Bewohner wehrten sich, unter ihnen auch Heinz Oestmann und seine Kollegen ... Immer wieder wiesen die Fischer auf die Verschmutzung der Elbe hin, ohne dass sich viel änderte. Zuletzt wurde es so schlimm, dass sie die Fische nicht mehr verkaufen konnten. So giftig waren die. „Sie waren so voller Quecksilber, dass man mit ihnen wie mit einem Thermometer Fieber hätte messen können", spottet Oestmann bitter.

Die Fischer hörten nicht auf zu protestieren. Presse, Radio und Fernsehen berichteten. Das Dorf Altenwerder wurde zu einem Symbol für die Rücksichtslosigkeit des Staates und der Industrie gegenüber der Natur und gewachsenen menschlichen Lebensgemeinschaften.

Die Fischer engagierten sich politisch in Gruppen, die für eine saubere Umwelt kämpften. Zum Beispiel umringten ihre Kutter die großen Schiffe, welche die giftige Dünnsäure aufs Meer fahren sollten. Oder sie blockierten die Elbmündung, um auf die Verschmutzung des Flusses aufmerksam zu machen.

Schließlich wurde Oestmann auch Politiker. Er wurde Mitglied und Abgeordneter der Grünen / Alternativen Liste in Hamburg.

Die Probleme in Altenwerder wurden immer bekannter, und viele Besucher kamen, um sich zu informieren. Einmal im Jahr fand das große Fischerfest in Altenwerder statt: ein buntes, fröhliches Fest, zu dem viele Umweltgruppen aus ganz Deutschland kamen. Es wurde musiziert, gegessen und getrunken – und natürlich viel Papier verteilt, auf dem zu lesen war, was man, wegen der Umweltvergiftung, lieber nicht essen sollte und wie man die Elbe retten könnte.

Nach wenigen Jahren war alles vorbei; ein Gericht hatte festgestellt, dass die Stadt Hamburg bei der Zerstörung Altenwerders juristische Fehler gemacht hatte. Außerdem kam eine Wirtschaftskrise, so dass man gar nicht mehr an eine Vergrößerung des Hafens dachte. Es wurde also ruhig um Altenwerder.

Wenn man heute hoch oben auf der Autobahn ist, sieht man von dem ehemaligen Dorf fast nichts mehr: Gras, Büsche und Bäume – die Natur hat sich fast alles zurückgeholt. Nur den alten Kirchturm sieht man deutlich. Unten, auf der Landstraße, kommt man an einigen wenigen Häusern vorbei. Obstbäume stehen auf den Wiesen, dazwischen Kühe. Ein Schild warnt vor dem Bullen. Wenig später führt die Straße an dem einzigen Lebensmittelladen vorbei, den es heute noch gibt. Schließlich parken wir auf einem leeren Platz am Fluss. Dort waren einst die Fischerfeste. Auf einer Mauer steht noch: „Rettet die Elbe!" In der Nähe gibt es noch eine kleine Häusergruppe. Dort wohnt auch Familie Oestmann.

Es ist jetzt früher Nachmittag. Fischer Oestmann beendet seine Arbeit auf dem Kutter. An Politik denkt er nicht mehr viel. „Ich muss mich jetzt wieder mehr um meinen Beruf kümmern!", sagt er. Da hat er genug zu tun. Von den vielen Umweltschützern, die noch vor wenigen Jahren nach Altenwerder kamen, erscheint heute kaum noch einer. „Dabei ist es bei uns immer noch interessant", sagt Oestmann, „und zwar für Botaniker und Ornithologen; denn hier gibt es wieder seltene Pflanzen und seltene Vögel."

Neuerdings hat die Stadt Hamburg wieder große Pläne. Der Hafen soll vergrößert werden; und die Elbe will man vertiefen, damit neue, noch größere Containerschiffe fahren können. Die Industrie und die Kaufleute freuen sich natürlich über diese Pläne, aber den Umweltschützern stehen die Haare zu Berge. Nach ihrer Meinung würde zu viel Natur zerstört.

Heinz Oestmann regt sich nicht mehr auf. „Abwarten!", sagt er. „Die haben schon so oft gedroht. Ich bleibe hier. Hier ist für mich der schönste Platz zum Leben, hier haben meine Vorfahren gelebt, hier bleibe auch ich mit meiner Familie."

Eduard Mörike

Er ist's

Frühling lässt sein blaues Band
Wieder flattern durch die Lüfte;
Süße, wohlbekannte Düfte
Streifen ahnungsvoll das Land.
Veilchen träumen schon,
Wollen balde kommen.
– Horch, von fern ein leiser Harfenton!
Frühling, ja du bist's!
Dich hab ich vernommen!

Bertolt Brecht

Über das Frühjahr

Lange bevor
Wir uns stürzten auf Erdöl, Eisen und
      Ammoniak
Gab es in jedem Jahr
Die Zeit der unaufhaltsam und heftig
      grünenden Bäume.
Wir alle erinnern uns
Verlängerter Tage
Helleren Himmels
Änderung der Luft
Des gewiss kommenden Frühjahrs.
Noch lesen wir in Büchern
Von dieser gefeierten Jahreszeit

Und doch sind schon lange
Nicht mehr gesichtet worden über
      unseren Städten
Die berühmten Schwärme der Vögel.
Am ehesten noch sitzend in
      Eisenbahnen
Fällt dem Volk das Frühjahr auf.
Die Ebenen zeigen es
In alter Deutlichkeit.
In großer Höhe freilich
Scheinen Stürme zu gehen:
Sie berühren nur mehr
Unsere Antennen.

Dornröschens Dschungel

EIN URWALD MITTEN IN DEUTSCHLAND

Kaum ein Lichtstrahl dringt durch das hohe Blätterdach der Buchen. Uralte Eichen strecken ihre krummen Äste aus. Kein Wind bewegt die Gräser am Boden. Nur hoch oben knarrt und knackt es in den Zweigen. Auf toten Baumriesen am Boden wächst dichtes Moos. Es riecht nach faulem Holz und frischen Kräutern. Mit zwei Händen muss man den meterhohen Farn zur Seite biegen: ein Urwald mitten in Deutschland.

Fast 25 Kilometer lang und 12 Kilometer breit ist der „Sabawald" in Nordhessen. Kein Förster darf ihn pflegen, kein Jäger darin jagen. Seit 80 Jahren bleibt hier alles so, wie die Natur es will. Bäume wachsen und sterben ab, und aus den toten Stämmen wächst wieder neues Grün. Manche Eichen sind schon 800 Jahre alt. Bei jedem Sturm brechen Äste ab, bis der Baum schließlich umfällt oder abbricht. In den hohlen Stümpfen – manche mit einem Umfang von mehr als sieben Metern – haben zwei, drei Menschen Platz.

Wahrscheinlich sah dieser Wald schon in der Steinzeit so aus wie heute. Fast ganz Mitteleuropa war bedeckt von solchen Laubwäldern. Die Germanen kämpften im dichten Wald gegen die römische Übermacht. Und im Mittelalter fütterten die Bauern dort ihr Vieh mit den Früchten der Eichen und Buchen. 1334 baute der Landgraf von Hessen die Sababurg. Er wollte die Pilger, die zum Wallfahrtsort Gottsbüren kamen, vor Räubern schützen, denn die frommen Reisenden brachten viel Geld in sein Land. Auch heute wandern Touristen durch den Wald, auf der Suche nach dem „Dornröschen-Schloss": Das Märchen von der Prinzessin, die hundert Jahre schlief, stammt aus dem Land um die Sababurg. Heute ist die Burg ein Hotel und bietet Schlafgelegenheit für Romantiker aus aller Welt, die auf der „Deutschen Märchenstraße" reisen.

Luis
Murschetz

Der Maulwurf Grabowski

Grabowski lebte unter der großen, bunten Wiese am Stadtrand. An seinem weichen Fell, an seinen großen Grabekrallen und an seiner rosa Nase erkannte man, dass Grabowski ein Maulwurf war.

5 Am Tage arbeitete er sehr schwer. Er grub Gänge unter die Wiese und warf kleine Erdhügel auf. Dabei schafften seine Grabekrallen wie ein richtiger kleiner Bagger. „Hoppla", murmelte er, wenn er auf einen Stein stieß, und schubste ihn zur Seite. Am Abend, wenn die Lichter in der nahen 10 Stadt aufleuchteten, kroch Grabowski aus der Erde heraus, säuberte seine Krallen und genoss den Frieden auf seiner Wiese. „Wie behaglich, wie geruhsam", dachte er dann. Eigentlich gehörte die Wiese ja einem Bauern, der seine Kühe und seine Kälber darauf weiden ließ. Der Bauer ärgerte sich 15 manchmal, wenn er die vielen Maulwurfshügel sah und brummte: „Da macht einer mein schönes Weideland kaputt", und dabei stampfte er den einen oder anderen Hügel wieder platt. Das war weiter nicht schlimm, man kann ja neue machen.
20 Eines Tages aber geschah etwas Schreckliches. Etwas, was den meisten Maulwürfen bisher unbekannt ist. Es kamen fremde Männer auf die Wiese und begannen, das Land mit

Instrumenten zu vermessen. Dabei stieß einer einen langen Messstab in die Höhle von Grabowski. Der erschrak sehr und drückte sich ängstlich in die Ecke. Nach einer Weile verschwand die Stange wieder nach oben, und ein Loch blieb zurück, durch das man die Männer beobachten konnte. Sie liefen mit ihren Messstangen hin und her und machten Notizen in ihren Mappen. Am Abend packten sie ihre Sachen wieder ein und fuhren mit dem Auto davon.

Aber von jetzt an war keine Ruhe mehr auf der großen Wiese. Denn morgens, so gegen sechs, rissen heftige Stöße und großer Lärm Grabowski aus dem Schlaf. Ein Erdbeben, dachte er und hastete nach oben zum nächsten Höhlenausgang.

Doch der war versperrt. Da stand etwas Schweres drauf. Grabowski stieß heftig mit seiner Nase dagegen. „Au", schrie er erschrocken, „auweh!"

Er versuchte einen neuen Ausgang zu graben und einen neuen Erdhaufen aufzuwerfen. Von dort wollte er alles überblicken. Doch das gelang nicht; denn die Erde war schwer und fest wie im Winter, wenn es gefroren ist.

Plötzlich griffen zwei gewaltige Grabekrallen, hundertmal größer als seine eigenen, nach ihm. Voller Schrecken wühlte er sich wieder zurück unter die Erde, viel tiefer als

sonst. Doch das Ungeheuer war bald wieder über ihm. Es packte ihn mit einem großen Klumpen Erde, und nach einer kurzen Rundfahrt fiel er hoch durch die Luft auf den Boden. Auf seiner schönen Wiese standen Baumaschinen, Lastwagen und Betonmischer. Kräne wurden aufgestellt, und das Ungeheuer mit den schrecklichen Grabeschaufeln war ein großer Bagger, der tiefe Löcher in die Erde gegraben hatte; denn hier sollten Hochhäuser mit Tiefgaragen entstehen.

Da wurde Grabowski sehr traurig, und er beschloss wegzuziehen, irgendwohin, wo es noch saftige Wiesen mit weicher, lockerer Erde gibt. Er wanderte mehrere Tage und Nächte, überquerte Eisenbahnschienen und gefährliche Straßen, bis er an eine riesengroße Wiese kam, mit leichter, duftender Erde darunter. Glücklich fing er an zu graben und warf übermütig mehrere Hügel auf, ganz knapp hintereinander.

Dann grub er sich eine neue Schlafhöhle, schleppte etwas trockenes Gras hinein und steckte seine Nase zwischen die Grabekrallen ins weiche Fell. „Wie behaglich, wie geruhsam", seufzte er noch zufrieden und fiel augenblicklich in einen tiefen, wonnigen Schlaf.

Luis Murschetz, Der Maulwurf Grabowski, © 1972 bei Diogenes Verlag AG Zürich

Wolfgang Borchert

Als im Jahre 5000

Als im Jahre 5000 ein Maulwurf aus der Erde rausguckte,
da stellte er beruhigt fest:
Die Bäume sind immer noch Bäume.
Die Krähen krächzen noch.
Und die Hunde heben immer noch ihr Bein.
Die Stinte und die Sterne,
das Moos und das Meer
und die Mücken:
Sie sind alle dieselben geblieben.
Und manchmal –
manchmal trifft man einen Menschen.

Lebensläufe

Familienalbum

Max
Kruse

Geschichte von zweierlei Leben

Es waren da zwei Buben. Sie wurden in derselben kleinen Stadt geboren. Der eine hieß Fritz und der andere Franz. Sie waren dicke Freunde. Sie gingen zusammen in die Schule und spielten jede freie Minute miteinander.

Der Fritz hatte blonde Haare, wie das Korn. Und der Franz hatte schwarze Haare, so wie Tollkirschen. Deshalb nannte man sie auch Fritz der Blonde und Franz der Schwarze.

Also, die beiden steckten immer zusammen. Und natürlich wollten sie auch immer genau das Gleiche werden. Entweder Flugzeugpilot oder Schauspieler, auch Indianerhäupt-

ling oder Seeräuber. Als sie älter wurden, hatten sie ernsthaftere Pläne. Dann stand für sie fest, dass sie berühmt und bedeutend werden würden, egal, auf welchem Gebiet.

15 Schließlich kamen sie aus der Schule.

Und damit ist ein Teil ihrer Geschichte fast schon erzählt. Franz der Schwarze nämlich wurde, was er sich vorgenommen hatte. Er studierte, er wurde Jurist und später ein erfolgreicher Rechtsanwalt. Dann trat er in eine politische

20 Partei ein, weil er fand, die Welt müsse verändert werden. Und da er gut reden konnte, einen scharfen Verstand hatte und keinen Gegner schonte, kletterte er stetig aufwärts. In den Parteien stehen guten Rednern alle Türen offen. So ging er also durch alle Türen und kam mühelos alle Treppen

25 hoch. Eines Tages wurde er Außenminister und später sogar Staatspräsident.

Aber Fritz der Blonde? Mit genauso viel Mut verließ er die kleine Stadt, um in der großen die hohe Schule zu besuchen. Natürlich ging er nicht zu Fuß, er fuhr mit der Eisen-

30 bahn. Und da las er einen Aushang auf dem Bahnsteig: Ausbildung zum Lokomotivführer.

Ei ... dachte der blonde Fritz, das wäre doch was für mich. (In solchen Geschichten denken die Helden immer: Ei ...) Also sagte der blonde Fritz dem Bahnhofsvorsteher, dass er

35 Lokomotivführer werden wollte. Das ging freilich nicht an einem Tag, aber der blonde Fritz kam doch wenigstens gleich zur Eisenbahn. Er musste dies und jenes lernen und durfte viel mit dem Zug fahren – zur Ausbildung.

So kam er auch einmal in eine große Hafenstadt, und da

40 ging er am Feierabend am Hafen spazieren. Das war doch

etwas, das Meer sehen, die Möwen kreischen hören! Er saß auf einer Mauer und sah die Schiffe einlaufen oder zu fernen Kontinenten ausfahren. Da ergriff ihn eine ganz eigentümliche Sehnsucht, und er dachte: Ei ... ein bedeuten-

45 der Mann kann ich immer noch werden, und Eisenbahn bin ich eigentlich schon genug gefahren. Jetzt gehe ich zur See. Er sagte also der Eisenbahn Lebewohl (in solchen Geschichten geht so etwas immer ganz einfach), und er fand

ein kleines Schiff, wo er als Schiffsjunge anheuern konnte.
50 Er verdiente dabei nicht gerade viel, aber er fuhr über die Weltmeere; er litt an der Seekrankheit; er schwitzte am Äquator und fror am Packeisgürtel, nicht nur im Norden, sondern auch im Süden. (Wer das nicht glaubt, kann auf einem Globus nachsehen.)

55 So kam er auch nach Amerika, und da dachte er sich: Ei ... Eisenbahn und zur See bin ich schon gefahren und bedeutend kann ich immer noch werden. Man wird es sowieso nur, wenn man schon in reiferen Jahren steht. – Wer aber jetzt meint, Fritz der Blonde wäre Indianerhäuptling ge-
60 worden, wie er es schon als kleiner Junge vorgehabt hatte, der irrt sich. Es macht heute keine Freude mehr, Indianerhäuptling zu sein. Indianer leben ja fast nur noch in besonders für sie reservierten Gebieten, wo sie von Touristen an-

gestarrt werden wie wilde Tiere im Zoo. Das wäre nichts für
65 Fritz den Blonden gewesen. Er wurde stattdessen so etwas wie ein Cowboy, nämlich Viehhirte auf einer Farm. Das dachte er sich auch recht schön, aber er war es dann doch nicht lange, denn es war fast noch anstrengender als zur See zu fahren.
70 Er hatte aber das Glück, als Cowboy in einem Film mitwirken zu können. In einer kleinen Szene huschte er nur mal

eben durchs Bild. Aber so konnte er das Gefühl haben, auch einmal Schauspieler gewesen zu sein. Nun hatte er sich auch etwas gespart. Und plötzlich überfiel ihn das bittere
75 Gefühl, es wäre höchste Zeit, nun mit dem Studium zu beginnen. Er kaufte sich eine Flugkarte nach Hause. Aber er war doch nun einmal in Amerika, und da dachte er sich: Ei, wer weiß, ob ich jemals wieder hierher kommen werde. Wenn ich schon nach Deutschland fliege, dann könnte ich
80 doch nach Westen fliegen anstatt nach Osten. (Es empfiehlt sich, wieder einen Blick auf den Globus zu werfen.) Warum ist die Erde rund? Das muss man ausnutzen, um recht viel von ihr zu sehen. Das kann mir bei meinem späteren Beruf als bedeutende Persönlichkeit nur nützen. Die Kenntnis
85 der Welt gehört gewissermaßen zu meinem Studium. Gedacht, getan! Er kaufte sich eine Flugkarte nach Hause in westlicher Richtung, auch wenn der Flug länger dauerte. Er brauchte auch deshalb viel mehr Zeit, weil er ja überall Halt machte, um sich die fremden Länder anzusehen.
90 Er stieg auch auf einer Südsee-Insel aus, und das Leben hier gefiel ihm so gut! – Ei, dachte er wieder, das wäre doch etwas! Den ganzen Tag unter blauem Himmel von Kokosnüssen und Datteln leben und im Meer schwimmen! Kurz und gut, er blieb auf der Insel, und er heiratete ein braunes
95 Mädchen, das nur ein buntes Tuch als Kleidung trug. Aber ich weiß nicht, ob das sein klügster Entschluss war. In dieser Ehe lernte er nichts, aber auch gar nichts für seine spä-

tere Laufbahn als bedeutender Mann. Und außerdem hielt ihn diese Ehe viel, viel länger fest als seine früheren Berufe.
100 Er hätte sich das besser überlegen sollen.

Trotzdem: Eines Tages trennte er sich doch wieder von dem braunen Mädchen. Das ging etwas leichter als erwartet, weil sie keine Kinder hatten und weil das Mädchen von der Insel nun einen Insulaner heiraten wollte, der ein großes Hotel für Touristen führte. Dieser Mann gefiel ihr schließlich besser als der blonde Fritz. Nicht nur, weil er genauso braun gebrannt war wie sie selber, sondern auch, weil er viel tüchtiger war und mit seinem Hotel viel Geld verdiente. Der blonde Fritz lag ja nur unter den Palmen und aß Kokosnüsse, wenn er nicht gerade im Meer schwamm oder mit anderen Faulpelzen auf Fischfang ausfuhr. Auf diese Weise behält man keine Frau.

Fritz der Blonde war nicht gerade sehr glücklich über diese Trennung, aber er war auch nicht todtraurig. Ei, ich muss ja endlich mal nach Hause kommen, wenn aus mir überhaupt noch etwas werden soll, dachte er.

Nun war es aber nicht mehr so einfach, zurückzufliegen; denn nach so vielen Jahren war die alte Flugkarte nicht mehr gültig. Da musste der blonde Fritz allerhand Arbeiten auf den Flughäfen erledigen, lauter Dinge, zu denen man keine Ausbildung braucht und zu denen ein ehemaliger Schiffsjunge geschickt ist. Ja, das tat er auf mehreren Flughäfen – immer ein bisschen weiter westwärts, immer ein bisschen näher zur Heimat. So kann man die Welt auch kennen lernen.

Vielleicht war das nicht einmal der letzte Beruf des blonden Fritz. Es ist sehr schwer, die Spuren eines Menschen zu verfolgen, der immer woanders ist.

Wer weiß, ob er nicht sogar irgendwo noch einmal geheiratet hat.

Aber einmal kehrte er doch nach Hause zurück. Da war er schon ein alter Mann, zu alt, um noch etwas zu lernen. Die Hochschulen waren sowieso überfüllt, nicht einmal alle jungen Männer bekamen einen Studienplatz. Der blonde Fritz wunderte sich, dass aus ihm so plötzlich ein grauer Fritz geworden war, ein weißhaariger, genau gesagt. Ei, dachte er noch einmal, gehen die Jahre gar so schnell vorbei? Das hätte man früher wissen müssen. Man merkt es ja kaum.

Weil er nicht wusste, wo er nun hinsollte, fuhr er wieder in seinen Geburtsort, und dort gewährte man ihm eine Unterstützung, von der er gerade so leben konnte.

Zur gleichen Zeit setzte sich auch Franz der Schwarze endlich zur Ruhe – und zwar auch in seiner Heimatstadt. Er kaufte sich ein großes Haus auf dem Hügel, von dem aus man die schönste Aussicht hatte. Hier empfing er Besucher, auch im Alter noch. Ununterbrochen kamen zum Beispiel Zeitungsleute zu ihm, die seine Meinung hören wollten über alle möglichen Dinge.

Er hatte noch immer so viel zu tun, dass er kaum einmal Muße hatte, die Aussicht auf die Stadt zu genießen.

Natürlich hatte er auch keine Zeit, den blonden Fritz zu sprechen. Der machte freilich auch keinen Versuch, seinen Freund aus der Kindheit wieder zu sehen. Denn Kindheit ist Kindheit und Alter ist Alter. Da haben sich die Menschen verändert, und Freundschaften sind vergangen.

Nur einmal – ein winziges Mal – trafen sie sich ganz zufällig bei der Beerdigung eines Schulkameraden, der Bürgermeister der Stadt geworden war. (Zu Beerdigungen gewöhnlicher Sterblicher ging der schwarze Franz natürlich nicht.)

Hinterher kamen sie zufällig vor dem Friedhofstor zusammen. Du bist nun ein großer Mann geworden, sagte der blonde Fritz zu dem schwarzen Franz. Da weiß ich nicht einmal, ob ich noch du sagen darf!

Der schwarze Franz nickte, er war in nachdenklicher Stimmung. Ja, ich habe erreicht, was ich mir vorgenommen hatte, erwiderte er. Dir ist es anscheinend anders ergangen? Jedenfalls habe ich nie etwas von dir gehört. Tut es dir leid?

Doch der blonde Fritz lachte so zurückhaltend, wie man bei einem Friedhof lacht. Ei, nein! – Warum denn? Wir haben die gleiche Anzahl von Stunden hinter uns. Und meine Jahre waren so bunt, wie ich sie mir bunter nicht wünschen könnte. Du hast etwas erreicht – aber wo ist das Erreichte jetzt? Ich habe viel erlebt – aber wo ist das Erlebte jetzt? Ich glaube, da ist nicht viel Unterschied. Wenn du willst, erzähl ich dir einmal.

Ach nein, antwortete der schwarze Franz, ich habe ja keine Zeit.

Und da sollte ich dich beneiden?, fragte der blonde Fritz.

Als sie sich getrennt hatten, schaute der schwarze Franz dem blonden Fritz nach und brummte: So ein nutzloses Dasein – wozu? Und das war einmal mein Freund? Gottes Wege sind wirklich sonderbar.

Es sind aber wohl nicht Gottes Wege, die sonderbar sind, sondern die Wege der Menschen. Und gelebt haben sie wirklich beide, der blonde Fritz und der schwarze Franz – nur eben jeder auf andere Weise.

Zu viel Freiheit

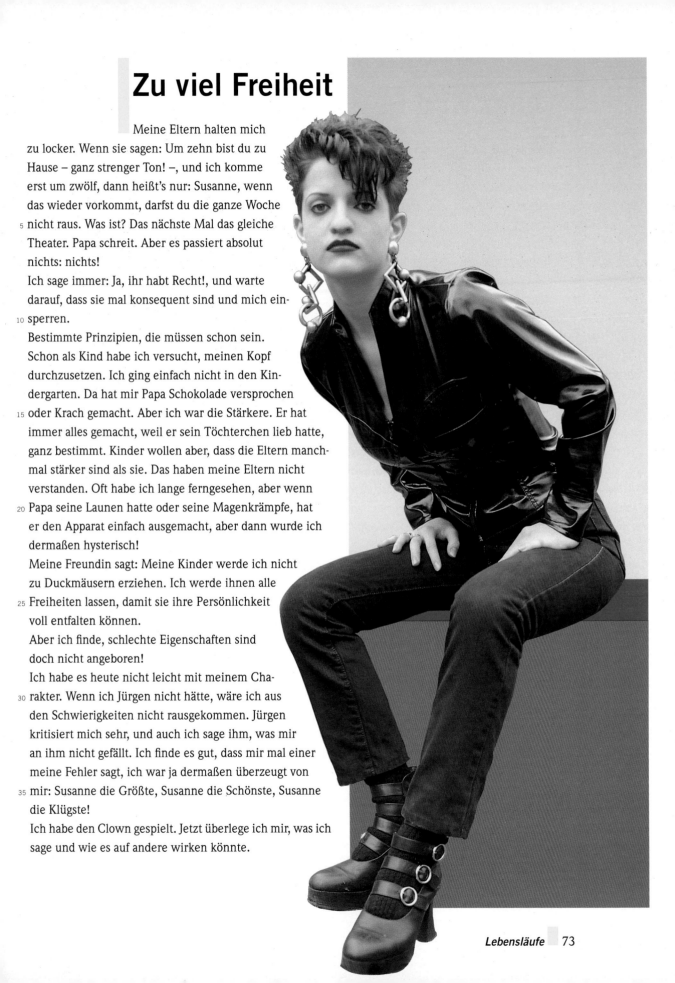

Meine Eltern halten mich
zu locker. Wenn sie sagen: Um zehn bist du zu
Hause – ganz strenger Ton! –, und ich komme
erst um zwölf, dann heißt's nur: Susanne, wenn
das wieder vorkommt, darfst du die ganze Woche
5 nicht raus. Was ist? Das nächste Mal das gleiche
Theater. Papa schreit. Aber es passiert absolut
nichts: nichts!
Ich sage immer: Ja, ihr habt Recht!, und warte
darauf, dass sie mal konsequent sind und mich ein-
10 sperren.
Bestimmte Prinzipien, die müssen schon sein.
Schon als Kind habe ich versucht, meinen Kopf
durchzusetzen. Ich ging einfach nicht in den Kindergarten. Da hat mir Papa Schokolade versprochen
15 oder Krach gemacht. Aber ich war die Stärkere. Er hat
immer alles gemacht, weil er sein Töchterchen lieb hatte,
ganz bestimmt. Kinder wollen aber, dass die Eltern manchmal stärker sind als sie. Das haben meine Eltern nicht
verstanden. Oft habe ich lange ferngesehen, aber wenn
20 Papa seine Launen hatte oder seine Magenkrämpfe, hat
er den Apparat einfach ausgemacht, aber dann wurde ich
dermaßen hysterisch!
Meine Freundin sagt: Meine Kinder werde ich nicht
zu Duckmäusern erziehen. Ich werde ihnen alle
25 Freiheiten lassen, damit sie ihre Persönlichkeit
voll entfalten können.
Aber ich finde, schlechte Eigenschaften sind
doch nicht angeboren!
Ich habe es heute nicht leicht mit meinem Cha-
30 rakter. Wenn ich Jürgen nicht hätte, wäre ich aus
den Schwierigkeiten nicht rausgekommen. Jürgen
kritisiert mich sehr, und auch ich sage ihm, was mir
an ihm nicht gefällt. Ich finde es gut, dass mir mal einer
meine Fehler sagt, ich war ja dermaßen überzeugt von
35 mir: Susanne die Größte, Susanne die Schönste, Susanne
die Klügste!
Ich habe den Clown gespielt. Jetzt überlege ich mir, was ich
sage und wie es auf andere wirken könnte.

Jutta
Richter

Alles wird besser

Kalle fühlt sich manchmal alt. Nicht steinalt, sondern bergalt, schildkrötenalt. Wenn sich Kalle alt fühlt, dann glaubt er, dass er weiß, was weise ist. Und wenn man ihn danach fragte, würde er antworten: „Weise,
5 das ist müde sein. Das ist so, wie wenn man beim Tausendmeterlauf einfach stehen bleibt und zusieht, wie die andern weiterlaufen." So würde Kalle sein Sich-alt-Fühlen beschreiben.

Wenn sich Kalle alt fühlt, dann läuft er nicht mehr mit.
10 In der Schule haben sie Lebenslaufschreiben geübt. „Ich, Karl Bäumler, wurde am Soundsovielten als Sohn des Betriebswirtes Josef Bäumler und seiner Ehefrau Gisela in Biehl geboren ..."

Dann war Kalle nichts mehr eingefallen. Wenigstens nichts
15 Interessantes. Kindergarten, Grundschule, Realschule. Immer nur Schule. Er hatte darüber nachgedacht, warum man in einem Lebenslauf nicht schreiben kann, dass man mit acht Jahren von einem Schäferhund gebissen worden ist. Und deshalb Angst vor Schäferhunden hat. Oder dass man
20 in der Grundschule immer der Kleinste war und deshalb von den Großen verkloppt wurde. Oder dass ihm mal eine Fischgräte im Hals stecken blieb und er nun keinen Fisch mag. Oder – und das wäre am wichtigsten, dachte Kalle – dass man sich manchmal so schildkrötenalt fühlt, weil man
25 keine Lust mehr hat, zur Schule zu gehen und etwas lernen zu müssen, was einen gar nicht interessiert. Und dass man Angst davor hat, es nicht zu können oder etwa schlechter zu sein als die anderen.

Aber das durfte man alles nicht in einem Lebenslauf schrei-
30 ben, weil das keinen interessierte, und deshalb waren die Lebensläufe fast alle gleich und sehr langweilig zu lesen. Und als er darüber nachgedacht hatte, fühlte sich Kalle wieder einmal schildkrötenalt – als wenn Blei in seinen Adern wäre.
35 Kalle hat keinen Freund.

Bis vor einem Jahr hatte er einen Freund, der hieß Rolf. Sie hatten sich gut verstanden, aber dann wurde Rolf aus der Hauptschule entlassen. Er fand keine Lehrstelle und hing viel herum. Dabei hatte er neue Freunde gefunden. „Die
40 sind nicht solche Muttersöhnchen wie du", hatte er zu Kalle gesagt. Und er hatte auch gesagt, Kalle sei ein Streber.

Das hatte Kalle weh getan.

Die aus seiner Klasse findet Kalle sowieso doof. Die gehen immer so breitbeinig und rauchen in den Pausen auf dem
45 Klo. Und wenn ein Mädchen vorbeikommt, pfeifen sie oder machen blöde Bemerkungen.

Kalle macht sich nichts aus Mädchen. Aber er würde alles tun, um einen Freund zu haben. Einen, mit dem er mal

über alles sprechen könnte. Zum Beispiel darüber, dass er
50 sich manchmal so alt und müde fühlt. Oder darüber, dass er manchmal so große Angst hat, das nicht zu schaffen, was sie in der Schule von ihm verlangen. Oder darüber, dass es immer nur darauf anzukommen scheint, so zu sein, wie alle sind, und später viel Geld zu verdienen. Dass einen niemals
55 jemand fragt, warum man Angst vor Schäferhunden hat oder keinen Fisch mag, dass Jungen niemals heulen dürfen, außer wenn jemand gestorben ist, dass es einem so gehen kann wie Rolf, dass man keine Arbeit findet, wenn man fertig ist mit der Schule.
60 Um darüber sprechen zu können, braucht man jemanden. Und Kalle hat niemanden. Vielleicht fühlt er sich deshalb manchmal schildkrötenalt. Deshalb läuft er dann einfach nicht mehr mit. Deshalb – und weil Kalle nicht daran glaubt, dass alles besser wird, wenn erst einmal die Schule
65 vorbei ist.

Ulrich Roski

Maul nicht

Niemand war erfreut, als er zur Welt kam,
ihn hat wohl ein schwarzer Storch gebracht.
Er war schon als Säugling durchaus seltsam,
ausgesprochen matt und ungeschlacht.
5 Er war völlig zugedeckt, mit Runzeln und mit Schrumpeln,
lag nur immer ausgestreckt und wollte nicht mal humpeln.
Schon nach zwei, drei Wochen glaubten alle fest und
unbeirrt,
daß auch bei bester Babykost aus ihm niemals ein
10 Prachtkind wird.
Sein ewiges Geschreie wurde Mutter bald zu dumm:
„Wenn du schon zu nichts nütze bist, brüll wenigstens
nicht rum!"

Japs nicht, jaul nicht, mecker nicht und maul nicht,
15 keiner hat dir was getan.
Raff dich, straff dich, stell dich nicht so an!
So wie du bist, wirst du nie ein Mann.

Viele Jahre drückte ihn die Schulbank,
er sah immer kränklich aus und blass,
20 hatte schlechte Schrift und schlechten Stuhlgang,
hatte keinen Freund und keinen Spaß.
Er war's, der beim Fußball immer auf den äußren Flügeln
stand
und der in der Klasse nicht mal einen zum Verprügeln fand.
25 Heulend kam er heim und klagte: „Mama, keiner spielt mit
mir."
Mutter meinte tröstend: „Hör mal zu mein Kind, eins sag
ich dir:
Wer dauernd in die Hose macht und außerdem noch
30 schielt,
braucht sich nicht zu wundern, wenn dann keiner mit ihm
spielt."

Japs nicht, jaul nicht, mecker nicht und maul nicht,
keiner hat dir was getan.
35 Raff dich, straff dich, stell dich nicht so an!
So wie du bist, wirst du nie ein Mann.

Niemals ist ihm irgendwas gelungen,
dabei hat er so ein gutes Herz.
Er hat nie geflucht, nie laut gesungen,
40 quälte nie ein Tier, nicht mal zum Scherz.
Er war so ein Mensch, der stets bei den begoss'nen
Pudeln stand,

und bei jeder Mahlzeit einen Grund, sich zu besudeln, fand.
Er war nicht so schnell und nicht so clever, wie die meisten
45 sind,
hörte immer nur: „Mach' Platz für die, die etwas leisten,
Kind!"
Er kaut schlecht und verdaut schlecht,
weil er viel zu hastig schluckt,
50 und traut sich nicht zu kratzen, wenn ihn irgend etwas
juckt.

Japs nicht, jaul nicht, mecker nicht und maul nicht,
keiner hat dir was getan.
Raff dich, straff dich, stell dich nicht so an!
55 So wie du bist, wirst du nie ein Mann.

Jürg
Schubiger

Ein Mädchen und das Glück

Ein Mädchen zog aus, um das Glück zu suchen. Aber es machte dabei alles falsch. Als es sein Dorf hinter sich hatte, nahm es den Weg links statt den Weg rechts. Dann ging es das Tal hinab, statt auf den Berg zu stei-
5 gen; es sprang über den Zaun, statt unten durchzukriechen; es streichelte eine Sau, statt ein Huhn zu füttern und eine seiner Federn mitzunehmen; es watete durch den Fluss, statt seinem Lauf zu folgen. Dazu sang das Mädchen verschiedene Lieder, die es nicht einmal ganz auswendig
10 wusste, statt vor sich hin zu sprechen: Glück, mein Glück, rück näher ein Stück!

In einem Steinbruch hörte der Weg plötzlich auf. Am Ende des Weges stand ein neues, rotes Damenfahrrad. Das Mädchen setzte sich darauf und fuhr nach Hause. Was wäre ge-
15 schehen, wenn es den richtigen Weg gewählt hätte, wenn es rechts statt links gegangen wäre, wenn es auf den Berg gestiegen wäre, statt im Tal zu bleiben, wenn es unter dem Zaun durchgekrochen wäre, statt darüber wegzuspringen, wenn es das Huhn gefüttert und eine seiner Federn mitge-
20 nommen hätte, statt die Sau zu streicheln, wenn es vor sich hingesprochen hätte: Glück, mein Glück, rück näher ein Stück!, statt verschiedene Lieder zu singen, die es nicht einmal ganz auswendig wusste?

Kurt
Kusenberg

Mal was andres

Es war eine sehr steife Familie. Vielleicht lag es daran, dass sie sich gleichsam vorschriftsmäßig zusammensetzte: ein Mann, eine Frau, ein Sohn, eine Tochter – ach, Unsinn, daran lag es nicht, sondern das Steife
5 steckte ihnen im Blut. Sie lächelten fein, aber sie lachten nie; sie benahmen sich wie bei Hofe und kannten kein derbes Wort. Hätte einer von ihnen gerülpst, so wären sicherlich die anderen ohnmächtig niedergesunken.

Genau geplant verging für sie der Tag. Beim Mittagessen be-
10 traten sie ganz kurz vor zwölf den Speisesaal, jeder durch eine andere Tür, und stellten sich hinter ihren Stühlen auf.

Zwischen dem sechsten und dem siebten Schlag der Uhr nahmen sie Platz. Der Tisch war überaus vornehm gedeckt. Über der weißen Spitzendecke lag, um diese zu schonen,
15 eine Glasplatte, und bei jedem Gedeck standen drei geschliffene Gläser, obwohl nie Wein getrunken wurde, nur Wasser. Die Mutter trug beim Essen einen Hut auf dem Kopf. Dem Vater traten ein wenig die Augen hervor, weil sein hoher, steifer Kragen ihn würgte, doch daran hatte er
20 sich gewöhnt. Jeden von ihnen drückte irgendetwas, und irgendetwas war zu eng oder zu hart; sie mochten es eben nicht bequem haben.

Das Folgende aber begab sich nicht beim Mittagessen, sondern beim Abendbrot. Draußen, vor den Fenstern, spürte
25 man den Mai; im Speisesaal spürte man ihn nicht. Kurz vor acht Uhr betraten sie den Raum und stellten sich hinter ihre Stühle, um zwischen dem vierten und fünften Schlag Platz zu nehmen. Doch was war das? Der Sohn stand nicht hinter seinem Stuhl, er war unpünktlich – er fehlte. Jetzt
30 schlug die Uhr. Man setzte sich. Der Diener brachte die Suppenschüssel. Eisige Luft umwehte den Tisch, aber niemand sprach ein Wort; die Mahlzeiten wurden schweigend eingenommen.

Sollte man es glauben? Noch immer war der Sohn nicht er-
35 schienen! Der Vater und die Mutter tauschten einen Blick
und schüttelten den Kopf. Als die Tochter das sah, bangte
ihr für den Bruder. Stumm löffelten die drei die Suppe.
Und jetzt, wahrhaftig, jetzt trat er durch die Tür, der acht-
zehnjährige Sohn, als sei nichts vorgefallen. Niemand
40 schaute zu ihm hin, keiner bemerkte seine seltsame Miene.
Was bedeutete sie – Aufruhr oder Spott? Im nächsten Augenblick beugte der Sohn sich nieder, setzte die Hand-
flächen auf den Boden, schnellte die Beine hoch und stand
kopfunter. So, in dieser würdelosen Stellung, marschierte
45 er auf den Tisch zu.
Wo und wann er es gelernt hatte, auf den Händen zu gehen,
blieb unerfindlich, es änderte auch nichts an dem unglaub-
lichen Vorgang. Die drei am Tisch hörten auf, ihre Suppe zu
löffeln, und starrten den Jüngling an; er musste den Ver-
50 stand verloren haben! Ja, so schien es – und doch wieder
nicht, denn als der junge Mann bei seinem Stuhl angelangt
war, ließ er sich wieder auf die Füße fallen, nahm Platz und
aß von der Suppe.
Eigentlich – wir sagten es schon – wurde bei Tisch nicht ge-
55 sprochen, aber als der Diener abgeräumt und das Hauptge-
richt gebracht hatte, tat der Vater seinen Mund auf und
fragte: „Was soll das?" Der Sohn zuckte die Achseln, lachte
trotzig und sprach: „Mal was andres!"
Es waren nur drei Worte, aber sie fuhren wie ein Donner-
60 schlag auf die Übrigen nieder. Der Vater, die Mutter und die
Tochter blickten ganz betäubt, und selbst wenn es erlaubt
gewesen wäre, bei Tisch zu sprechen, hätte keiner ein Wort
hervorgebracht.

Mal was andres! Schlimmeres konnte nicht ausgesprochen
65 werden in einem Hause, welches so streng das Herkommen
einhielt, denn es ging ja gerade darum, dass nichts sich änderte, dass alles genau so getan wurde, wie man es festge-
legt hatte. Und dann die grobe, fast unflätige Ausdrucks-
weise! „Einmal etwas anderes" hieß das in einem Kreise,
70 der sich einer sorgfältigen Sprache befleißigte.
Man aß und trank Wasser, mehr Wasser als sonst, aus ver-
haltener Erregung. Der Sohn tat, als merke er von alledem
nichts. Der Vater blickte auf den Tisch nieder. Wie es in ihm
aussah, ließ sich denken – das heißt: Genau wusste man es
75 selbstverständlich nicht, denn das Innere eines Menschen
ist sehr geheim und bisweilen überraschend. Wer zum Beispiel hätte das erwartet, was jetzt geschah?

Es begann damit, dass der Vater, obwohl er mit dem Essen
fertig war, die Gabel in den Mund steckte und sie mit den
80 Zähnen festhielt. Dann nahm er eines der geschliffenen
Gläser und stellte es vorsichtig auf den Gabelgriff. Die Gabel schwankte ein wenig, doch das Glas blieb stehen. Sechs
starre Augen verfolgten des Vaters Treiben. Der nahm jetzt
ein zweiten Glas und versuchte, es auf das erste zu setzen.
85 Fast wäre es ihm gelungen, aber eben nur fast, und so stürzten beide Gläser auf den Tisch und zersprangen.
Verlegen, aber durchaus nicht betreten, schaute der Vater
in die Runde. Er hörte die Frage hinter den stummen Lippen und gab eine Erklärung ab. „Mal was andres!", sagte er.
90 Zum ersten Mal an diesem Tisch begab es sich, dass die
Mutter und die Tochter einen Blick wechselten. Was er aus-
drückte, war schwer zu sagen; sicherlich ein Einverständ-

nis – aber welcher Art? Vielleicht war es auch kein Einver-
ständnis, denn was die Tochter nun tat, konnte unmöglich
95 der Mutter recht sein.

Das junge Ding – mehr als fünfzehn Jahre zählte es nicht –
hob plötzlich die Hände zum Kopfe und löste die aufgebun-
denen Haare, dass sie über die Schultern fluteten. Nicht genug damit, nahm das Mädchen ein Messer und schnitt sich
100 vom Hals zur Brust die Bluse auf; es kam ein schöner Aus-
schnitt zustande – schön, weil er von den Brüsten etwas sehen ließ. „Mal was andres!", sprach die Tochter.

Jetzt blickten alle die Mutter an. Was würde sie sagen, was
würde sie tun? Nichts sagte sie, doch sie tat etwas. Sie griff

105 nach der Glasplatte, die auf dem Tisch lag, und hob sie em-
por. Hei, wie glitt und stürzte da alles herunter, Schüsseln,
Teller und Gläser, wie zerschellten sie lustig am Boden! Die
Mutter jedenfalls fand es lustig, und als sie laut lachte, lachten die drei mit. „Mal was andres!", rief die Mutter, von
110 Heiterkeit geschüttelt, und schlug sich auf die Schenkel.
„Mal was andres!", johlten die anderen.

Von nun an war kein Halten mehr. Wir können nicht auf-
zählen, was die Übermütigen alles anstellten; nur einiges
sei berichtet. Sie sprangen über die Stühle, beschmierten
115 die Bilder an der Wand mit Senf und rollten sich in den Teppich ein. Sie spielten Haschen, wobei viele Gegenstände

zerbrachen, tanzten wild auf dem Tisch herum, und als der
Diener das Dessert brachte, rissen sie ihm das Tablett aus
der Hand und warfen es durch die Fensterscheiben. Die
120 hereinströmende Mailuft machte sie vollends toll: Sie
schrien laut und schlugen Purzelbäume. Anfangs war der
Diener sehr erschrocken; dann aber stürzte auch er sich in
das närrische Treiben.

Gegen neun Uhr, als es zu dunkeln begann, erscholl
125 draußen plötzlich Musik. Alle liefen ans Fenster und blickten hinaus. Da stand eine kleine Gruppe von Schaustellern,
die ankündigen wollten, dass am nächsten Abend eine Vor-
stellung stattfinde. Die Gaukler waren offensichtlich eine
Familie: Vater, Mutter, Sohn und Tochter, genau wie die Fa-
130 milie im Fenster. Welch hübscher Zufall!

„Heda!", rief der Vater im Fenster dem Vater auf der Straße
zu, als das Musikstück geendet hatte. „Wollt ihr nicht mit
uns tauschen?" Und da der andere nicht sogleich begriff:
„Ich meine, wollt ihr dieses Haus haben samt allem, was
135 drin ist, und uns dafür eure Habe überlassen? Es ist mir
ernst damit – uns zieht es auf die Straße, in die Ferne."

Die Schauspieler berieten sich und meinten dann, man
müsse den Fall aushandeln. „Ja, kommt nur herauf!", rief
der Vater im Fenster. Misstrauisch betraten die Gaukler das
140 vornehme Haus, schüchtern schoben sie sich in den Speisesaal. Doch als man ihnen kräftig die Hand schüttelte und
nachdrücklich erklärte, das Anerbieten sei wirklich ernst
gemeint, fassten sie allmählich Vertrauen.

Nun wurden sie rasch einig, die beiden Familien. Im Nu
145 wechselten sie die Kleider und das Dasein. Ein wenig drol-
lig sahen die feinen Leute ja in dem verwegenen Aufputz
aus; doch waren sie glücklich. Nur der Diener weinte, denn
er wäre gerne mitgezogen, aber er musste unbedingt
zurückbleiben, damit der Tausch vollkommen sei und es
150 den Hausbesitzern nicht an Bedienung mangle. „Mal was
andres!", bettelte er und warf sich sogar auf die Knie, doch
es half ihm nichts.

„Wir lassen dir vier neue Gesichter zurück", sprach der
Hausherr im Fortgehen. „Das ist Abwechslung genug."
155 „Mal was andres!", sangen die neuen Schausteller im Chor,
als sie auf der nächtlichen Straße fortzogen, und winkten
denen im Fenster. Der Sohn blies die Trompete ganz leid-
lich, die Tochter spielte hübsch auf der Ziehharmonika, und
der Vater zupfte besessen seine Gitarre. Nur die Mutter
160 wusste mit der großen Trommel nicht so richtig umzugehen.

Liebe

„Die Liebe ist ein seltsames Spiel", heißt es in einem Lied. „Die Liebe ist eine Himmelsmacht" in einem anderen. Ja, was denn nun? Zwei Antworten auf eine einfache Frage? Jörg (15), Ingo (15), Michael (15), Kirsten (15), Katja (14), Petra (14) und Benja (fast 17) diskutierten und fanden noch viel mehr Antworten auf die Frage:

Was ist

Kirsten: Liebe ist für mich, wenn ich einer Person absolut vertrauen kann und wenn ich jemanden ganz besonders mag. Ich muss ganz offen mit ihm reden können. Dann brauche ich meine Gefühle nicht zu verstecken.

Michael: Liebe ist, wenn sich die Partner akzeptieren. Die Liebe zeigt sich erst richtig, wenn man über die Fehler des anderen hinwegsehen kann.

Petra: Liebe bedeutet auch Toleranz. Man muss lernen, dem anderen gegenüber tolerant zu sein.

Benja: Für mich ist Liebe ein menschliches Gefühl, das mit Logik nicht zu begründen ist.

Katja: Was ist der Unterschied zwischen Liebe und Verliebtsein?

Ingo: Liebe ist etwas Festes, das auch auf die Zukunft gerichtet ist. Verliebtsein ist nur Zuneigung. Die Liebe auf den ersten Blick ist noch keine Liebe. Hier ist oft nur das Äußerliche wichtig.

Kirsten: Verliebtsein ist der Anfang. Alles ist noch ziemlich locker. Liebe bedeutet Sicherheit.

Benja: Ich bin verliebt, wenn mir ein Mädchen gut gefällt, wenn sie gut aussieht und einen guten Charakter hat. Liebe existiert für mich nicht. Denn Liebe ist eine Form der Selbstaufgabe, also ein Gefühl, das ich nicht akzeptiere.

Ingo: Da bin ich ganz anderer Meinung. Man muss seine Persönlichkeit nicht aufgeben, sondern Kompromisse machen.

Jörg: Manchmal ist Liebe allerdings auch eine Modeerscheinung. In unserer Klasse war es „in", sich in einen ganz speziellen Typen zu verknallen.

Benja: Liebe ist rosarot und veilchenblau, mit Sonnenuntergang und so. Das ist ein kitschiges Klischee. Für mich gibt es nur eine tiefe Zuneigung. Liebe ist nur ein Vorwand. Viele reden oft von Liebe und meinen in Wirklichkeit nur das, was danach kommt: Sex.

Kirsten: Das ist zu hart formuliert. Wer liebt, denkt doch nicht immer nur an Sex.

Liebe?

Katja: Ich beurteile einen Jungen auch nicht nach seinem Aussehen. Das habe ich einmal gemacht. Dann habe ich
⁶⁵ seinen Charakter kennen gelernt. Da war der Typ plötzlich uninteressant.

Ingo: Sie muss einen guten Charakter haben. Das Bild vom Traummann / von der Traumfrau ist Unsinn.

⁷⁰ **Benja:** Dummerweise ist der erste Eindruck immer der visuelle. Keiner trägt ein Schild mit der Aufschrift: Vorsicht, ich bin schön, aber doof! Man kann immer nur hoffen, dass man jemanden
⁷⁵ findet, der einen guten Charakter hat und trotzdem gut aussieht.

Eine chaotische Liebeserklärung hängt in Katjas Zimmer an der Wand. Sie hat den lustigen Text in einem Jugendbuch gefunden.

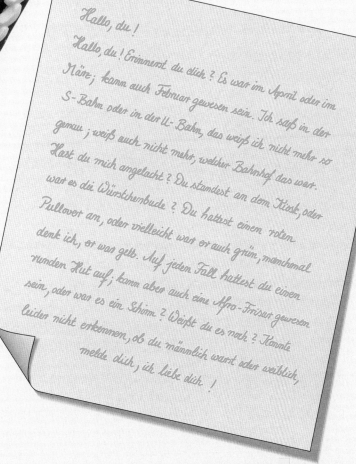

Hallo, du!

Hallo, du! Erinnerst du dich? Es war im April oder im März; kann auch Februar gewesen sein. Ich saß in der S-Bahn oder in der U-Bahn, das weiß ich nicht mehr so genau; weiß auch nicht mehr, welcher Bahnhof das war. Hast du mich angelacht? Du standest an dem Kiosk, oder war es die Würstchenbude? Du hattest einen roten Pullover an, oder vielleicht war er auch grün, manchmal denk ich, er war gelb. Auf jeden Fall hattest du einen runden Hut auf; kann aber auch eine Afro-Frisur gewesen sein, oder war es ein Schirm? Weißt du es noch? Konnte leider nicht erkennen, ob du männlich wart oder weiblich, melde dich, ich liebe dich!

Michael: Warum verliebt man sich?

Kirsten: Weil ich jemanden sympathisch finde. Ich achte auf die Augen.
⁵⁵ Der Ausdruck der Augen sagt viel über den Charakter.

Petra: Man lernt einen Menschen erst durch ein Gespräch kennen.

Jörg: Nur weil das Mädchen gut aus-
⁶⁰ sieht, verliebe ich mich noch lange nicht.

Was ist Liebe?, fragte eine Jugendzeitschrift ihre Leser. Es kamen viele verschiedene Antworten. Sie zeigen, dass diese Frage gar nicht so leicht zu beantworten ist.

LESERBRIEFE

Liebe ist …
alles, was im Kopf ist, wenn ein Mensch ihn dir verdreht.
Liebe ist wie eine Wolke, in der die Stimmung, die Gefühle, die Träume von einer verknallten Person enthalten sind.
Maxim Paola, Bicon Stefania, Maltauro M. Teresa, Maltauro Guiseppina, Greselim Antonella, Italien

Liebe ist …,
wenn man gern auch mal zurücksteckt und zu Kompromissen bereit ist – und wenn man einen anderen so gern hat, dass man ihm vergibt, wenn er einem manchmal etwas Schlechtes antut.
Jeannine van der Heever, 16, Südafrika

Ist Liebe eine Macht, die über mich kommt? Dann kann ich die Liebe nur dem blinden Zufall überlassen. Ich habe Glück, und sie kommt zu mir – oder ich habe Pech, und sie kommt nicht. Oder ist Liebe eine Arbeit? Dann ist sie nicht eine Sache des Zufalls, sondern meine Sache, mein Werk. Jeder weiß, wie wichtig Liebe ist, alle suchen Liebe, verlangen Liebe, träumen von Liebe. Aber keiner denkt, man muss Liebe lernen. Es ist unser Schaufensterdenken. Wir sind das Kaufen gewohnt. Wir suchen so lange, bis wir im Schaufenster unseres Lebens das richtige Objekt gefunden haben – und dann denken wir: Jetzt habe ich sie, die Liebe. Aber Liebe ist nicht eine Frage des Objekts, sondern eine Frage des Könnens.
Hanin Wardighi, Marokko

Was ist Liebe?
Ich stieg die Tür, trat die Treppen ein, machte den Pyjama auf, zog das Bett an, schlüpfte das Licht, und alles das, weil er mich geküsst hatte.
Silvia Amodeo, Elisabetta Calmonte, Italien

Die Liebe ist etwas, das man glaubt, man hätte es, wenn man es verloren hat, und das man nicht sehen kann, wenn man es hat.
Maia Grotepass, 17, Südafrika

In der Nacht schauen sie sich in die Augen, und sie sehen die Sonne.
Gönül Sökmen, Türkei

Die Liebe ist nicht etwas, was man suchen kann. Manchmal, ganz plötzlich und unerwartet, ist die Liebe da.
Michelle Grant, 16, Südafrika

Liebe ist … wie ein Spiegel: Wenn du jemand liebst, wirst du sein Spiegel und er deiner.
Liebe ist …, ihm direkt in die Augen zu sehen und ihn rot werden zu lassen.
Liebe ist …, ihn nicht anzurufen, auch wenn dein Herz dir Ja sagt.
Battoechio Cristina, Claudia Quagliotto, Gasparetto Lorella, Italien

Liebe ist süß wie eine reife Frucht.
Liebe ist wie zwei umklammerte Seepolypen, die immer zusammenbleiben.
Elena Frasson, Daniela Saporiti, Italien

Für mich ist Liebe ein wunderbares Gefühl. Liebe bedeutet, an ihn zu denken und ein angenehmes Gefühl zu fühlen. Liebe heißt auch, etwas zu geben, ohne etwas im Tausch zu verlangen, sich zu verstehen, ohne zu sprechen, und auch ein bisschen eifersüchtig zu sein. Ich sehe Liebe, wenn ich in die Augen von meinem Freund schaue.
Guiseppina Scarecella, Italien

Liebe ist ein Gefühl, das tief aus dem Herzen kommt und überhaupt nichts zu tun hat mit dem, was logisch ist. Das Herz lässt sich dann auch nicht vorschreiben, was der Verstand sagt.
Alta Swift, 16, Südafrika

Liebe ist ein Gefühl, eine Anziehungskraft zwischen zwei Menschen. Wenn ein Mensch den anderen akzeptiert, trotz seiner Fehler und Gebrechen. Liebe beruht auf gegenseitigem Vertrauen.
Marietje van Niekerk, 16, Südafrika

Liebe ist, an deine zärtliche Liebe zu denken immer überall, wo man sich befindet, und darüber nie müde zu werden.
Das Glück in der Liebe ist wie ein Ball, dem wir nachlaufen, wenn er rollt, und den wir mit dem Fuß wegschieben, wenn er hält.
Francesca Mozzi, Italien

Was ist Liebe?
Ich habe danach einen Alten gefragt, und er hat mich angelächelt.
Ich habe danach ein Kind gefragt, und es hat mich angeschaut.
Ich habe danach meine Mutti gefragt, und sie hat mich beschimpft.
Ich habe dich danach gefragt, und du hast mich geküsst.
Stefanie Cavalli, Italien

1 Sie treffen Ihre Traumfrau / Ihren Traummann auf der Straße. Sie/er lächelt Ihnen zu. Was machen Sie?

  a Sie legen sich schnell auf den Boden und verstecken Ihr Gesicht.

  b Sie werfen beide Beine in die Luft und singen ein Liebeslied.

2 Jetzt wollen Sie Ihre Traumfrau / Ihren Traummann kennen lernen. Was sagen Sie?

  a Entschuldigung, meine Uhr funktioniert sehr gut. Können Sie mir sagen, wie früh es ist?

  b Entschuldigung, ich habe Sie hier schon oft gesehen. Sind Sie zum ersten Mal hier?

3 Sie haben Ihr erstes Rendezvous mit Ihrer Traumfrau / Ihrem Traummann. Wohin gehen Sie mit ihr/ihm?

  a in die Schule

  b in ein Fitness-Center

4 Was bringen Sie mit zum ersten Rendezvous?

  a kein Deutschbuch

  b die Hausaufgaben

5 Sie sind zum ersten Mal bei den Eltern Ihrer Freundin / Ihres Freundes eingeladen. Was bringen Sie Ihnen mit?

  a die neueste CD von Metallica

  b gar nichts

6 Ihre Freundin / Ihr Freund ist traurig. Was tun Sie dagegen?

  a Sie sagen, daß sie/er Ihnen traurig viel besser gefällt.

  b Sie erzählen einen lustigen Witz, den sie/er schon kennt.

7 Sie wollen Ihre Freundin / Ihren Freund küssen. Was tun Sie?

  a Sie spitzen den Mund und pfeifen wie ein Vogel.

  b Sie stellen sich auf ein Bein. Dann bitten Sie sie/ihn, noch etwas zu warten, und fragen schnell Ihre Schwester, wie es weitergeht.

8 Wie zeigen Sie Ihrer Freundin / Ihrem Freund, dass Sie sie/ihn lieben?

  a Sie sagen kein Wort und hoffen, dass sie/er Ihre Worte versteht.

  b Sie wackeln mit den Ohren und bitten sie/ihn, genau auf Ihre Füße zu sehen.

9 Sie mögen Ihre Freundin / Ihren Freund nicht mehr. Sie wollen sich von ihr/ihm trennen. Was tun Sie?

  a Sie schreiben ihr/ihm einen Brief und bitten um eine schnelle Antwort.

  b Sie sagen, dass Sie für die Liebe zu alt sind.

Reifeprüfung
Abitur
d'amour
Ein nicht ganz ernst gemeinter Test

Lösungen:

1a) Das ist albern. Warum soll sie/er Ihr Gesicht nicht sehen? Sie haben Angst vor der eigenen Courage. 0 Punkte.

1b) Sehr gut! 10 Punkte. Sie/er kann jetzt sofort sehen, daß Sie sportlich und musikalisch sind.

2a) Leider nur 0 Punkte. Denn wenn Sie so fragen, ist schon alles zu spät.

2b) Sie sind clever. 10 Punkte. Aber warten Sie immer so lange?

3a) Jetzt seien Sie aber mal ehrlich. Finden Sie es in der Schule sehr romantisch? Sie haben Glück, wenn Ihnen Ihre Traumfrau / Ihr Traummann nicht gleich wieder wegläuft. 0 Punkte.

3b) Klasse! 10 Punkte. Denn das weiß doch jeder: Von Übung zu Übung kommt man sich näher.

4a) Meinen Sie das ernst? Wir hoffen, daß sich Ihre Meinung spätestens nach diesem Test ändert. 0 Punkte

4b) Super! Sie wissen, worauf es ankommt. Und Sie wissen, was gefällt. 10 Punkte

5a) 0 Punkte. Oder meinen Sie vielleicht, Hardrock macht die Eltern Ihrer Freundin / Ihres Freundes weich?

5b) Sehr gut. Denn ein schöneres Geschenk als Sie gibt es nicht. 10 Punkte.

6a) 0 Punkte. Sie können uns nichts erzählen. Ihnen gefällt Ihre Freundin / Ihr Freund gar nicht mehr.

6b) 10 Punkte. Denn wenn Ihre Freundin / Ihr Freund jetzt lacht, liebt er/sie Sie wirklich.

7a) Total gut! 10 Punkte. Aber denken Sie immer daran: Ein kurzes Pfeifen genügt.

7b) Der Anfang ist nicht schlecht. Aber auf zwei Beinen können Sie viel besser stehen. Deshalb nur 0 Punkte.

8a) O. K. Aber sagen Sie später nicht: Niemand versteht mich! 0 Punkte.

8b) Oh la la! So jung, und in der Liebe schon so erfahren!! 10 Punkte.

9a) 10 Punkte. Aber was machen Sie, wenn sie/er Ihnen Ihren Brief ungeöffnet zurücksendet?

9b) Passen Sie auf! Sie werden schneller alt, als Sie denken. 0 Punkte.

0 – 40 Punkte:

Hurra! Sie haben den Liebestest bestanden. Aber vielleicht sollen Sie mit ihrem Taschengeld etwas vorsichtiger umgehen, sonst reicht es nie für eine richtige Hochzeitsfeier!

50 – 80 Punkte:

Herzlichen Glückwunsch! Sie haben den Liebestest bestanden. Wenn Sie jetzt noch ein bisschen mehr Sport treiben, können Sie leicht alle Herzen brechen!

90 Punkte:

Super! Sie haben den Liebestest bestanden. Aber Sie sollen doch lieber mal zum Augenarzt gehen. Sie wissen ja: Liebe macht manchmal blind!

Es ist 12 Uhr mittags. Karl Heinz Martens kommt mit seinem gelben Wagen in den Dodauer Wald. Nur noch wenige Meter. Da steht sie vor ihm: die Eiche. Umfang fünf Meter, Höhe 25 Meter, Durchmesser der Baumkrone 27 Meter – das ist die Bräutigamseiche, Martens' Ziel.

Martens ist Postbote. Jeden Tag fährt er zu der alten Eiche und bringt Briefe aus der ganzen Welt. „An die Bräutigamseiche, Dodauer Forst, 23701 Eutin", so heißt die Anschrift. Sieben Stufen einer Leiter steigt Martens hoch, dort ist der „Briefkasten" – ein großes Astloch. In das Loch legt er die Post. Wer schreibt an die Bräutigamseiche? Meistens sind es junge Leute, die Briefpartner suchen, „spätere Heirat nicht ausgeschlossen … ". Pro Jahr muss Martens 600 Briefe in den Liebesbrief-Postkasten werfen. Die Post kommt aus der ganzen Welt. Die Stadt Eutin und das Land Schleswig-Holstein werben mit der Bräutigamseiche. Man findet sie auf Wanderkarten, und Hinweisschilder zeigen den Weg. Berichte in Presse, Funk und Fernsehen haben die Eutiner Eiche weltbekannt gemacht. Wie alles angefangen hat, das weiß man nicht mehr so genau. Vor vielen, vielen Jahren hat man hier einen keltischen Fürstensohn gefesselt und im Dodauer Wald ausgesetzt. Ein tapferes Mädchen hat ihn befreit, und aus Dankbarkeit hat der Fürstensohn die Eiche gepflanzt.

Auch soll die Eiche geheimnisvolle Kräfte haben. Wenn ein junges Mädchen dreimal, ohne ein Wort zu sagen, um den Baum geht, wird es noch im selben Jahr heiraten. Es muss sich nur ganz fest den späteren Mann vorstellen.

So soll die Bräutigamseiche die Braut und den Bräutigam zusammenbringen: Die Post bringt die Briefe zum Baum, sie nimmt aber keine Antwortbriefe mit. Doch jeder kann kommen und die Post lesen. Wer Interesse hat, nimmt den Brief mit. Wer nicht, legt ihn zurück.

So manches Ehepaar hat sich durch die Eiche kennen gelernt, und vier sind schon über 25 Jahre verheiratet.

Ihr glaubt das nicht? Versucht es doch mal! Versuchen kostet nichts, nur eine Briefmarke.

Ein Baum für die Liebe

An die
Bräutigamseiche
Dodauer Forst
23701 Eutin

Frieder
Stöckle

Spielvorschlag zur Liebesprüfung

Wenn du nicht weißt, ob dich deine Freundin oder dein Freund noch mag, nimm ein Akazien-blatt oder ein Gänseblümchen und reiß nacheinander die Blütenblättchen aus. Dabei sagst du: Sie liebt mich, sie liebt
5 mich nicht, sie liebt mich, sie liebt mich nicht und so weiter. Jedes Mal wird ein Blättchen abgerissen. Zum Schluss kommt dann entweder raus, dass sie dich liebt oder dass sie dich nicht liebt. Manchmal stimmt das Ergebnis. Echt!

Lisa-Marie Blum

Gedanken beim Kochen

Der Dosenöffner
schneidet glatt.
Verletzung unmöglich.
Auch die
5 Waschmaschine arbeitet
sicher.
Waschen ohne
Experimente.
Im Fahrstuhl stecken
10 bleiben,
in der kleinen Kammer
eine Nacht zubringen?
Unmöglich!
Die Signalanlage
15 funktioniert.
Auch wenn das ganze
Haus brennt.
Die Kartoffeln kochen.
Das heiße Wasser
20 läuft über die Hände.
Es gibt Töpfe,
die ein Verbrennen
unmöglich machen.
Altmodisch,
25 die Kartoffeln noch so
abzugießen.

In der Zeitung steht,
sie haben eine
Herzmaschine erfunden.
30 Sie klopft
für dich,
wenn du tot bist.
Es war schon einer tot.
Sie haben ihn wieder
35 zum Leben erweckt.
Mit der Maschine.
Es geht ihm gut,
schreiben sie.
Was er gedacht hat,
40 als er tot war,
haben sie nicht
geschrieben.
Aber die Herzmaschine
funktioniert.
45 Vielleicht erfinden sie
auch eine Maschine
für Gefühle.
Mit Knöpfen
in bunten Farben.

50 Zum Beispiel:

Du erhältst einen Brief
und drückst Rot
für Lachen.
55 Und du kannst lachen,
wenn du eigentlich
weinen willst.
Oder Gelb
für Gleichgültigkeit,
60 wenn du nicht
gleichgültig bist.
Bestimmt wird das
einmal erfunden.
Später.
65 Jetzt
ordnet man die Gefühle
noch vollkommen
unsicher,
falsch,
70 altmodisch
und verbrennt.

Hans Manz

Der Stuhl

(Alltag)

Ein Stuhl,
allein.
Was braucht er?
Einen Tisch!

Auf dem Tisch
liegen Brot, Käse,
Birnen,
steht ein gefülltes Glas.

Tisch und Stuhl,
was brauchen sie?
Ein Zimmer,
in der Ecke ein Bett,
an der Wand einen Schrank,
dem Schrank gegenüber ein
Fenster,
im Fenster einen Baum.

Tisch, Stuhl, Zimmer ...
Was brauchen sie?
Einen Menschen.

Der Mensch sitzt
auf dem Stuhl
am Tisch,
schaut aus dem Fenster
und ist traurig.
Was braucht er?

Ernst Ginsberg

Trauriger Abzählreim

Ich liebe dich
Du liebst mich nicht
Ich bin die Nacht
Du bist das Licht
Ich bin der Schmerz
Du bist das Glück
Drum schaue nie
zu mir zurück
Ich weiß und fühl es bitterlich
Du liebst mich nicht
Ich liebe dich

Barbara Müller,
16 Jahre

Mathematikstunde

So, heute will ich mich konzentrieren!

Die Ellipse kann man besser zeichnen, wenn ... ach, er schaut doch heute

5 wieder gut aus ... Da war doch etwas mit Tangenten ... Jetzt redet er gerade angeregt mit einer anderen. Es ist schlimm, wenn man bei jeder Kleinigkeit eifersüchtig wird ... Aha, die Dia-

10 gonale ... Warum bin ich eigentlich zu feige, ihn einmal anzusprechen, ich

könnte anrufen und ihn etwas über die Hausaufgabe fragen, wenn ich weiterhin nicht aufpasse, ist das sowieso nötig! ... Alle Linien parallel zur Achse ... Es müsste doch schön sein,

15 mit ihm zu gehen, schon rein äußerlich müssten wir gut zusammenpassen ... Dann den Abstand in den Zirkel nehmen? Welchen Abstand denn? Ich wollte doch aufpassen! ... Gestern hat er bei einer Diskussion denselben Standpunkt vertreten wie ich, darüber habe ich mich gefreut. Gemeinsame

20 Ansichten kann man durchaus als positiv zählen ... Und nun eine Gerade in den rechten Winkel. Oh je, im rechten Winkel zu was denn? ... Ob er wohl eine feste Freundin hat, ich wüsste so gern etwas

25 mehr über ihn, sein Freundeskreis überhaupt würde mich interessieren. Sicher sind alle sehr nett. Aber wenn er eine feste Freundin hätte, fände ich das weniger schön. Vorstellen kann

30 ich es mir leider schon. Wie kommt man zu der komischen Linie, die anderen haben sie alle, ich werde sie halt ohne Konstruktion so ähnlich reinzeichnen ... Ich kann ihn doch nicht die ganze Zeit anschauen! Was denkt er denn von mir? Will ich

35 eigentlich, dass er es merkt, oder nicht? ... Jetzt alle Punkte verbinden; kommt denn bei allen so eine krumme Kartoffel heraus? Nein, na ich bin ja selber schuld! ... Hoffentlich bin ich nicht rot geworden, bloß weil er zufällig in meine Richtung geschaut hat ... Es klingelt. Was sollte ich gelernt haben?

Angelika
Kutsch

Aus der Traum

Er versuchte, sie zu küssen, aber sie wandte den Kopf ab. „Ich mag das nicht!"

Klaus lachte leise. „Alle mögen das gern. Manche mögen's nur nicht zugeben. Überleg doch mal, wie albern das ist! Al-

5 les könnte viel einfacher sein, wenn man ganz offen miteinander wäre."

„Ich verstehe nicht, worauf du hinauswillst."

„Wir sind doch fast erwachsen!"

Das Lächeln gefror ihr. Was will er, dachte sie, will er das,

10 was ich verstehe? Aber wenn ich es zugebe, lacht er vielleicht und sagt, ich bilde mir allerhand ein. Wie er so dastand, unschuldig lächelnd, sah er richtig nett aus. Er würde sogar der Großmutter gefallen, weil er kurzgeschorene Haare hatte. Ihre größte Sorge war, dass ihre Enkelinnen ei-

15 nes Tages so „einen langhaarigen Affen" nach Hause bringen könnten. Aber das war natürlich kein Grund, Klaus mitten in der Nacht zum Kaffee einzuladen.

„Du gefällst mir", sagte Klaus leise.

Wie lange hatte sie davon geträumt! Irgendeiner, wenn es

20 nur einer sagte! Silke wartete auf die Wirkung. Aber die Welt wurde nicht aus den Angeln gehoben, die Häuser gegenüber blieben an ihrem Platz.

Mit welchen Erwartungen war sie zur Party gegangen! Erwartungen, die sich sonst nur im Kino erfüllten, und nun

25 hatte sie wirklich jemanden getroffen, der war hübsch und der sagte, sie gefalle ihm – und sie blieb ganz gleichgültig.

Franz
Hohler

Von echter Tierliebe

Herr Beeli übte den Beruf eines Prokuristen aus. Er war 173 Zentimeter groß, hatte graue Augen, dunkelbraunes Haar und keine besonderen Kennzeichen. Er war verheiratet. Seine Frau wird sich im Verlauf 5 der Geschichte scheiden lassen, aber sonst war es eine glückliche Ehe. Herr Beeli hatte kein eigenes Haus, sondern bewohnte den ersten Stock eines Mietshauses. Er hatte ein einziges Hobby: Schafe.

Das waren ihm die liebsten Tiere, und für sie hätte er alles 10 hergegeben. Er war ein großer Schaffreund. Gleich neben dem Schlafzimmer hatte er ein Schafzimmer eingerichtet, wo er sich ein knappes Dutzend Wollschafe hielt. Nicht,

dass er sie züchtete, er hielt sie sich einfach. Jeden Tag ließ er ihnen frisches Gras vom Land kommen, und im Winter 15 fütterte er sie mit Heu. Wenn sie brav gewesen waren, durften sie sich auf der Terrasse tummeln, oft sogar in der ganzen Wohnung. Zufrieden saß Herr Beeli in seinem Sessel und freute sich, wenn eines der Tiere am Philodendron knabberte oder auf den Teppich pisste. Schließlich sollten 20 sie sich bei ihm wie zu Hause fühlen. Er hatte auch ein Lieblingsschaf, Sonja, das er manchmal auf Spaziergänge mitnahm. Gelegentlich trippelte es an seiner Seite zu seinem Arbeitsplatz, wo er es dann an einen Parkingmeter band, eine Münze einwarf und nach vier Stunden wieder abholte. 25 Manchmal hatte Sonja einen Bußzettel im Mund; Herr Beeli brachte ihm aber bald bei, einen solchen aufzufressen. Auf Geschäftsreisen hatte er immer zwei, drei Schafe im Auto;

hin und wieder brachte er seiner Frau als Überraschung ein neues heim. Sonja durfte sogar einmal mit ihm fliegen. War 30 eines der Schafe krank, dann wusste Herr Beeli nicht mehr aus noch ein. Er machte ihm Umschläge, setzte ihm die Geranien seiner Nachbarn vor, bereitete ihm Dampfbäder und legte es ins Bett seiner Frau. Diese ließ sich deswegen von ihm scheiden, was Herr Beeli auch in Ordnung fand, denn 35 sie hatte sich nie viel um seine Haustiere gekümmert. Die Schafe wurden Herrn Beeli zugesprochen.

Es war überhaupt nicht so einfach mit dieser Liebhaberei. Seitdem er mit Sonja auf der Flugreise gesehen worden war, stellte man ihn bald vor die Wahl, entweder die Schäferei 40 aufzugeben oder seine Stelle. Herr Beeli entschied sich ohne Bedenken für das Zweite. Etwas Neues zu finden erwies sich aber als ziemlich schwierig, und ein Inserat, in welchem er 45 sich als Schäfer zu verdingen anbot, fand gleichfalls nicht den erwarteten Widerhall. Der Hausbesitzer beklagte sich über die Hufkratzer auf der Treppe sowie das aufdringliche Schaf50 geblök und kündigte ihm die Wohnung. Eine Zeit lang betätigte er sich nun als freier Hirte, musste das aber bald aufgeben, weil er kein Hirtenpatent besaß. Er kam dann als Prokurist des Vereins elsässi55 scher Krippenfreunde e.V. unter, wo er auch einen geringen Nebenverdienst daraus schlagen konnte, dass er seine Schafe zur Weihnachtszeit an Krippenspiele ausmietete. Sonja vermietete er nur, wenn er selbst auch als Hirt mitspielen durfte. Es fügte sich dann, dass er auch diese Stelle 60 verließ. Ich könnte noch viel von Herrn Beeli erzählen, aber die Zeit ist kurz, und meine Elefanten wollen auch gefüttert sein. Herr Beeli ist, glaub ich, momentan in Anatolien und zieht von Gebirge zu Gebirge, alles seinen Schafen zuliebe. Aber eben, wer ein Hobby hat, muss bereit sein, dafür ge65 wisse Opfer zu bringen.

Begegnungen

Jan Klose, 18, war in Cleveland / Ohio
„In der Schule gab es zu viele Regeln, aber mehr Wahlmöglichkeiten als in Deutschland. Dass sie in den USA nur zwölf Jahre dauert, ist ein Vorteil."

Martin Lahmann, 19,
war in Arroyo Grande / Kalifornien
„Die Leute haben mir dort besser gefallen als hier, der Teamgeist in der Schule war herausragend. Ich wollte nicht zurück nach Deutschland."

Angelika Franz, 19,
war in Grand Rapids / Michigan
„Ich habe ‚Heimweh' in die USA. Die Freundschaften, die ich dort geschlossen habe, halten bis heute. Ich möchte in den USA studieren."

Tobias Böhnke, 19,
war in Wasilla / Alaska
„Die Leute in Alaska schienen mir besser informiert und mobiler als anderswo in den USA. Das Land ist mir allerdings zu einsam."

Maren Hartmeier, 19,
war in Nashville / Tennessee
„Es war ein Superjahr, vor allem wegen der Schule. Ich würde gerne ein Jahr in den USA studieren, möchte aber nicht für längere Zeit dort leben."

Boris Bromm, 19,
war in Eugene / Oregon
„In der Schule habe ich am meisten vom Sportangebot profitiert. Das Leistungsniveau fand ich etwas niedriger als in Deutschland."

Saima Kaehlert, 18,
war in Wilson / North Carolina
„Durch das soziale Leben in der Schule und der Kirche lernt man viele Leute kennen. Man hat fast immer jemanden um sich."

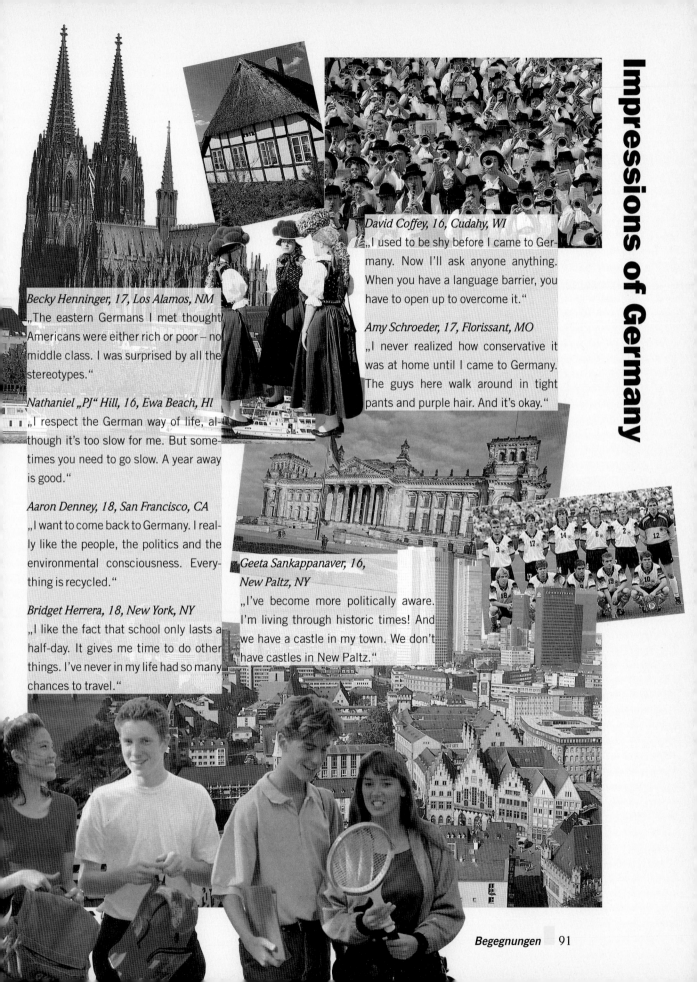

David Coffey, 16, Cudahy, WI

„I used to be shy before I came to Germany. Now I'll ask anyone anything. When you have a language barrier, you have to open up to overcome it."

Amy Schroeder, 17, Florissant, MO

„I never realized how conservative it was at home until I came to Germany. The guys here walk around in tight pants and purple hair. And it's okay."

Becky Henninger, 17, Los Alamos, NM

„The eastern Germans I met thought Americans were either rich or poor – no middle class. I was surprised by all the stereotypes."

Nathaniel „PJ" Hill, 16, Ewa Beach, HI

„I respect the German way of life, although it's too slow for me. But sometimes you need to go slow. A year away is good."

Aaron Denney, 18, San Francisco, CA

„I want to come back to Germany. I really like the people, the politics and the environmental consciousness. Everything is recycled."

Bridget Herrera, 18, New York, NY

„I like the fact that school only lasts a half-day. It gives me time to do other things. I've never in my life had so many chances to travel."

Geeta Sankappanaver, 16, New Paltz, NY

„I've become more politically aware. I'm living through historic times! And we have a castle in my town. We don't have castles in New Paltz."

MOSKAU IN WATTE

Uta, 16 Jahre „Mir ist aufgefallen, dass sich die russischen Jugendlichen wenig für Politik interessieren. Wenn man nach Hause kommt, setzt man sich vor den Fernseher und schaut amerikanische Programme an. Ich habe nie gesehen, wie meine Familie sich Nachrichten ansah."

Aljosha, 17 Jahre „Das Wichtigste für mich bei diesem Austausch war, dass ich eine deutsche Familie kennen gelernt habe. Ich würde den deutschen Schülern in Moskau gerne zeigen, was nicht in offiziellen Programmen steht. Daran erinnert man sich am besten."

Valeska, 16 Jahre „Die Erziehung der russischen Jungen hat mich überrascht. Sie halten Mädchen die Türe auf, man darf als Erste das Lokal betreten, und sie tragen einem das Gepäck."

Dimitri, 17 Jahre „Mir gab es sehr viel, mit den deutschen Schülern zu sprechen – auch wenn die Verständigung manchmal schwierig war. Ich werde jetzt noch intensiver Deutsch lernen."

Nicole, 17 Jahre „Mich hat erstaunt, wie bunt die Moskauer Schule hier angemalt ist. Wir überlegen, wie wir unser Gymnasium bunter machen, und hier gibt es so viele Farben."

Sommer 1992: Schon seit vielen Jahren pflegt das Gymnasium am Oberheckenweg die „Diplomatie der Bürger". Nach Frankreich, England und Amerika öffnet die Schule jetzt ein weiteres „Fenster zur Welt": Russland. 5 Zwei Wochen besuchen 17 Mädchen und drei Jungen die Schule 67 in Moskau. Sie erwidern damit den Besuch von 22 russischen Schülern in Lahnstein. Russland befindet sich in einer Zeit des Umbruchs. Aber die Lahnsteiner sind auf die materiellen Nöte in Russland vorbereitet. Bereits 10 beim Kofferpacken müssen sie genau überlegen. Birgit erzählt: „Ein paar Jeans, vier T-Shirts, drei Blusen, Unterwäsche – sonst nur Geschenke."

Bei Ute sind es gar 14 Kilogramm: Käse, Wurst, Fleisch; Zucker, Honig, Kaffee. Bei anderen Schülern kommen noch 15 Kassetten, Kleider, Turnschuhe und Schokolade hinzu. Das alles gibt es zwar in Moskau, doch ist alles sehr teuer. Für ein bisschen Obst zahlt man das halbe Monatsgehalt oder die ganze Rente. Für die deutschen Schüler ein Taschengeld.

Aber von dieser Wirklichkeit sehen die Schüler wenig. Meist 20 leben sie in ihren Gastfamilien, behütet und abgeschirmt von dem grauen Alltag. „Man hat uns in Watte gepackt", sagt Griseldis am Ende der zweiten Woche. „Das wirkliche Leben haben wir wohl nicht gesehen."

Schon bei der Ankunft erklärt der Schulleiter der Schule 67: 25 „Sie sind in einer sehr schweren Zeit in unser Land gekommen. Wir hoffen dennoch, dass Sie unsere Schwierigkeiten nicht zu spüren bekommen."

So ist das Programm sehr touristisch, und die Schüler erfahren mehr aus der russischen Vergangenheit als aus der Ge- 30 genwart. Sie besuchen Kirchen und Klöster, Opern und Ballettaufführungen. Leider sprechen die meisten deutschen Schüler noch zu wenig Russisch, um in den Gastfamilien richtig mitreden zu können. Die Gäste dürfen auch den russischen Schulunterricht besuchen. Judith: „Über- 35 rascht bin ich, dass die russischen Schüler aktuelle englische Zeitungstexte lesen und darüber in der fremden Sprache diskutieren. So etwas kenne ich aus unserem Sprachunterricht nicht."

Im russischen Deutschunterricht gibt es noch viele alte 40 Lehrbücher. Darum ist das Deutschlandbild der Schüler nicht aktuell. Zum Glück kennen die jungen Russen nach ihrem Besuch die neue Bundesrepublik schon etwas besser. Den warmen, freundlichen Empfang und die Gastfreundschaft werden die deutschen Schüler nicht vergessen. Eli- 45 sabeth möchte, wie viele andere Mitschüler, wiederkommen, „doch dann privat und ohne festes Programm".

Aus dem Tagebuch von Judith, 17 Jahre

Nachmittags sind wir doch noch ins Zentrum gefahren, und da war das „richtige" Moskau: der Kreml, die Moskwa, die Kirchen, die Türme und der Rote Platz. Wie die Sonne von den goldenen Kuppeln reflektiert wird – Wahnsinn!

Donnerstag, 30. April

... Wenn man Geld hat, kann man hier gut leben. Das sieht man an den Geschäften für die Touristen. Alles ist spottbillig. Andere Geschäfte habe ich noch nicht gesehen.

Dienstag, 28. April

... Die Familie ist so nett, freundlich und herzlich. Ich fühle mich schon jetzt zu Hause. Die Wohnung ist klein, aber das hindert sie nicht daran, mich hier wohnen zu lassen. Einfach super!

Mittwoch, 29. April

... Heute war ein sonniger Tag, trotzdem wirkt alles so grau: Häuser, Autos, Bäume – alles grau und voller Staub. Wie ist es wohl, wenn es regnet? Die Wege sind kaum befestigt. Erst habe ich von Moskau etwas anderes erwartet: viele Kirchen und Zwiebeltürme. Da waren aber nur graue Wohnblocks.

Freitag, 1. Mai

... Für uns ist hier alles so billig, aber für die Einheimischen fast unbezahlbar. Ich weiß nicht, wie man hier mit einem Monatsgehalt von umgerechnet ungefähr 12 DM leben kann. Nach der Oper waren wir noch am Roten Platz. Dort gab es ein Rockkonzert und ein Feuerwerk. So stelle ich mir das „neue Russland" vor. Wir wollen nicht nur von Museum zu Museum fahren!

Montag, 4. Mai

... Erwähnenswert ist das „russische Nachtleben". Unsere Gastgeber haben leider kein Interesse an Diskos oder Ähnlichem. Sie verbringen ihre Freizeit mit Spaziergängen. Bilanz nach fast einer Woche: Menschen – herzlich; Essen – reichlich und gut; Programm – zu touristisch; meine Stimmung – super.

Dienstag, 5. Mai

... Abends beim Tee gibt es meistens die besten Gespräche. Es ist nur schade, dass ich die Sprache nicht beherrsche.

Katja (Tochter meiner Gastgeber) muss alles übersetzen. Es ist schwer zu erklären, dass in Deutschland für höhere Gehälter gestreikt wird. Es ist ein komisches Gefühl. Überhaupt ist es schwer, über Geld zu sprechen. Natürlich ist es wichtig, etwas von dem Leben im anderen Land zu erfahren: Was verdienen die Menschen, was kostet das Leben? Aber immer wieder merke ich, dass ich ganz anders als die Russen denke. Ich habe vier Monatsgehälter in der Tasche und kaufe einfach etwas, was mir gefällt. Das ist mir peinlich.

Mittwoch, 6. Mai

... In Moskau gibt es Normen für den Wohnraum. Früher hatte jeder Anspruch auf einen Raum von 5 Quadratmetern, jetzt sind es schon 7. Allerdings ist es auch möglich, dass vier Personen in nur einem Raum von 28 Quadratmetern leben (plus Küche und Bad). Noch ist Wohnen in Moskau billig. Wasser kostet nichts. In der Küche meiner Gastgeber ist der Wasserhahn kaputt. Das Wasser läuft Tag und Nacht. Niemanden stört das hier. In Deutschland wäre das undenkbar.
Ich bin ganz spontan zum Abendessen eingeladen worden. Für die Russen ist das ganz normal. In Deutschland ist so was sehr selten.

Donnerstag, 7. Mai

... Wenn man in einem ganz normalen Laden einkaufen will, ist das eine größere Aktion. Die Ware wird ausgesucht, man bekommt einen Zettel und geht zur Kasse, bezahlt, bekommt den Kassenzettel, geht zurück und bekommt die Ware.

Sonnabend, 9. Mai

... Gestern war der erste Tag, an dem wir keine Kirche oder ein Kloster besucht haben. Wir durften den Schulunterricht kennen lernen. Ich habe gedacht, die Lehrer sind viel strenger als bei uns, aber das stimmt nicht. Der Englischunterricht war einfach genial. Sie haben über aktuelle Themen diskutiert. Bei uns wäre das nicht möglich, glaube ich. Für Politik interessiert sich bei uns keiner.

Sonntag, 10. Mai

... Es ist komisch: Übermorgen fahren wir schon wieder zurück. Die Zeit ging so schnell vorbei. Die Familie war wahnsinnig nett. Ich hoffe, ich sehe sie wieder!

Wir leben hier

In der Bundesrepublik hat jeder 13. Einwohner eine fremde Nationalität. Jeder dritte Ausländer lebt bereits zehn Jahre und länger hier. Für viele ist Deutschland eine neue Heimat. Ihre Kinder sind hier geboren, besuchen hier die Schule oder machen eine Ausbildung. Diese zweite Generation hat oft kaum noch Beziehungen zu Heimatland und Sprache ihrer Eltern. Trotzdem sind viele Fremde geblieben. Wie leben junge Ausländer in der Bundesrepublik?

Ich fühle mich angegriffen

Also, ich heiße Sunita, bin 15 Jahre alt und lebe schon 11 Jahre in Deutschland. Ich bin aber in Bombay / Indien geboren. Weil ich im Alter von knapp 4 Jahren von meinen deutschen Eltern adoptiert wurde, habe ich selbst keine Erinnerung mehr an mein Leben in Indien. Natürlich haben mir meine Eltern einiges erzählt. Hier in Deutschland lebe ich mit meiner Familie in einem kleinen Dorf, wo es mir gut gefällt und ich zu Hause bin.

Ich bin in Deutschland aufgewachsen, Deutsch ist meine Muttersprache, und ich habe die deutsche Staatsangehörigkeit. Trotzdem werde ich manchmal als Ausländerin angesehen. Es ist kein schönes Gefühl, wenn einem die Leute hinterhergucken, nur weil man braun ist. Im Kindergarten und in der Grundschule habe ich mir keine Gedanken gemacht. Heute denke ich viel über die Ausländerfrage nach. Wenn über Ausländer gesprochen wird, fühle ich mich immer mit angegriffen. Ich denke,

dass man auch etwas gegen mich hat. Dann bin ich traurig und enttäuscht. Aber die Leute, die mich kennen, haben nichts gegen mich. Für die bin ich einfach die Sunita. Ich
20 verstehe mich mit ihnen ganz gut.

Sunita K. aus Indien, 15 Jahre, Twistetal

Wo gehöre ich hin?

1970 ist mein Vater als Gastarbeiter nach Deutschland gekommen. Er wollte etwas Geld verdienen und so schnell wie möglich nach Hause. Aus diesem
5 „so schnell wie möglich" sind 22 Jahre geworden. Er hat die schönste Zeit seines Lebens damit verbracht, für die deutsche Industrie zu arbeiten, und tut es immer noch. Ich bin seit 16 Jahren in Deutschland und besuche zur Zeit ein Gymnasium. Bis jetzt
10 war ich sehr zufrieden, aber plötzlich werde ich mit dem Problem des Ausländerhasses konfrontiert. Man spricht mich auf offener Straße an und sagt, dass die Ausländer den Deutschen die Arbeit, die Wohnungen und sogar die Frauen wegnehmen. Die steigende Gewalt der rechtsradikalen Jugend-
15 lichen beunruhigt mich. Ich möchte so schnell wie möglich zurück in meine Heimat, die Türkei. Aber dort beschimpft man mich als „Deutschländer". „Geh doch in dein Deutschland", heißt es. Wo soll ich jetzt hin? Wo ist denn nun der Ort, wo ich hingehöre?

Emine P. aus der Türkei, 16 Jahre, Kassel

Spott und Angst

Ich wünsche mir, dass sich die Zahl meiner Freundinnen vermehrt. Doch das habe ich bis jetzt noch nicht geschafft. Auf dem Schulhof sagen sie
5 zu mir: „Du stinkst." Und weil ich in

einer Straße wohne, wo sehr viele Türken wohnen, verspotten sie mich und benutzen den Namen der Straße als Schimpfwort. Meinem Vater zeigen sie auf der Arbeitsstelle einen alten Putzlappen und sagen ihm: „Hier, zieh das dei-
10 nem Sohn oder deiner Tochter an!" Mein Vater kann sich nicht darüber aufregen, weil er kein Deutsch kann. Auf die Geburtstage meiner Freundinnen kann ich nicht gehen, weil meine Eltern befürchten, türkenfeindliche Deutsche könnten uns etwas antun. Ich wünsche mir, daß es weniger Aus-
15 länderfeinde gibt, damit ich wieder richtig spielen kann.

Tülin C. aus der Türkei, 12 Jahre, Herne

Ich habe dieses Leben gewählt

Ich war 16, als ich nach Deutschland kam. Entfernt von meiner Familie und meinem Land, habe ich viele Sachen gelernt, die ich vielleicht im Iran nie
5 gelernt hätte. Das Wichtigste: selbständig zu sein und alleine mit Problemen umzugehen. Zweitens habe ich eine ganz andere Kultur kennengelernt und die deutsche Sprache. Durch die vielen Ausländer, die hier leben, kann ich meine Erfahrungen
10 und Informationen erweitern. Es gibt immer wieder große und kleine Probleme. Ich versuche aber, daran zu denken, daß es überall Schwierigkeiten gibt und daß ich dieses Leben gewählt habe.

Parisa Sh. aus Iran, 18 Jahre, Gießen

Was soll das Theater

Ich hatte noch nie richtig Probleme mit Deutschen. Trotzdem bin ich für viele Deutsche „nur eine Ausländerin". Letztens war ich in einem Super-
5 markt. Ein Deutscher hat sich vorgedrängelt und dann auch noch so getan, als sei er im Recht. Als Ausländerin habe ich oft erkennen können, dass es gute und weniger gute Deutsche gibt. Warum geben sich viele nicht ein bisschen mehr Mühe und
10 versuchen, uns besser kennen zu lernen? Was haben die meisten Ausländer den Deutschen wirklich getan? Sie helfen bei der „Dreckarbeit". Ich hoffe, dass wir Ausländer auf Dauer nicht als zweitklassig angesehen werden, denn es gibt keine zweitklassigen Menschen. In 178 Ländern sind
15 die Deutschen selbst Ausländer. Tut nicht so, als wärt Ihr alleine auf der Welt. Was, also, soll das ganze Theater?

Giovana L. aus Italien, Frankfurt

Beinahe Mist gebaut

Junge Leute unter 20 – was beschäftigt sie, was wollen, was hoffen sie? Die Wochenzeitung DIE ZEIT befragt jede Woche
5 Jugendliche in Ost und West.

Martina ist siebzehn und lebt mit ihrer Mutter und vier Geschwistern in Schwerin, Mecklenburg-Vorpommern.

Anwaltsgehilfin, Martina, ist das der Beruf, den du woll-
10 *test?*

Jetzt ja.

Was heißt das?

Ich hätte schon gern studiert. Und wenn die Wende nicht gekommen wär, hätte ich das sicher auch gemacht. Aber als
15 sich dann alles so veränderte, kam bei mir der Einbruch, da hab ich einen ziemlichen Leistungsabfall gekriegt und gedacht, das schaffst du nie.

Wieso konnte die Wende einen solchen Strich durch deine Pläne machen?

20 Die Wende hat mir damals ... (Martina stockt, und ihr kommen die Tränen) einen richtigen Schrecken eingejagt. Ich konnte das nicht fassen. Ich wollte schon Mist baun, weil ich damit nicht klarkam.

„Mist baun" heißt: Du wolltest nicht mehr leben?

25 Hmm. Ich hab einfach an dieses System geglaubt. Meine Mutter ist allein stehend mit uns vier Kindern, und wir sind finanziell immer ganz gut über die Runden gekommen. Und als dann alles zusammenbrach, dachte ich: Jetzt ist alles aus. Dann haben sich die Menschen auch so verändert. Das hab
30 ich bei uns in der Klasse gemerkt, da war nicht mehr die Initiative wie früher, nicht mehr das Zusammensein, auch die Möglichkeiten, zusammen wegzufahren, was gemeinsam zu unternehmen, waren plötzlich weg. Früher waren wir im Kollektiv zusammen, dann ist alles auseinander gelau-
35 fen. Inzwischen hat man sich wieder ein bisschen zusammengefunden. Aber damals hab ich mich so im Stich gelassen gefühlt.

Von wem?

Von den Leuten! Der Staat hat doch so viel für sie getan. Ich
40 hab nicht verstanden, dass das System so verkehrt gewesen sein soll.

War das denn wirklich dein System?

Doch, ja, ich habe mich sehr dafür engagiert, FDJ, Junge Pioniere. Ich hab viel organisiert, und das hat Spaß ge-
45 macht. Wenn man gesehen hat, dass was klappt, da hat man sich echt gefreut. Beim Sport zum Beispiel hat fast jeder so eine kleine Bronzemedaille bekommen, und wenn's dann Gold wurde, hat man sich schon für was gehalten. Das war eigentlich belanglos, aber man hatte was, was man den El-
50 tern vorzeigen konnte. „Hier, das hab ich erreicht." Man hatte damals irgendwie ein Ziel vor Augen.

Und jetzt gibt es kein Ziel mehr?

Für mich eigentlich nicht. Ich sag mir nur, mach das Beste draus, und dann wirste schon sehen, aber ein Ziel ... Als in
55 Schwerin '89 die ersten Demonstrationen begannen, war ich so sauer auf die Leute! Da hab ich zum ersten Mal so richtig geheult. Ich wollte nich mehr. Einmal hab ich ganz konkret vor dem Selbstmord gestanden, aber dann hat irgendwie eine Stimme in mir gesagt: Du bist ja bekloppt!
60 *Gab es keine Leute, die dir geholfen haben?*

Doch, meine beste Freundin und mein Bruder, die haben's versucht.

Und deine Mutter?

Die hat selber Angst gehabt, wegen der Arbeit, und nach-
65 her kam es ja auch wirklich so, dass sie entlassen wurde. Aber wir haben uns nie so richtig gut verstanden. Ich war auch so enttäuscht.

Von deiner Mutter?

Ja. Als damals in Ungarn die Grenzen aufgemacht wurden,
70 wollte meine Mutter auch rüber, weil sie das satt hatte hier. Die wollte noch was aus ihrem Leben machen. Wir standen damals schon richtig vor der Abreise, und das tat mir so weh. Ich wollte nicht in den Westen gehn, in diese Konsumgesellschaft dort. Und als dann die Wiedervereinigung

kam, hat mir das den Rest gegeben. Mein Ich war irgendwie untergebuddelt. Ich war richtig depressiv, aber irgendwann hab ich mich da selber wieder rausgeholt, und jetzt geht's. Nur früher war ich so eine richtige Witznatur. Das hat sich seitdem total gelegt.

Was ist mit deiner Enttäuschung, ist die immer noch da?

Eigentlich nicht, ich glaube, jetzt bin ich wieder offen für was Neues. Irgendwie wird es ja weitergehen. Es hat eben alles Vor- und Nachteile.

Das klingt dennoch so, als ob du am liebsten das Alte zurückhaben möchtest.

Nein, nicht unbedingt. Es haben sich ja auch Vorteile ergeben – wenn das Geld stimmt. Man ist so abhängig vom Geld geworden, das find ich schlimm, gerade für Ältere. Dass auch das Ansehen runtergeht, wenn man kein Geld hat.

Jetzt hast du wieder nur Nachteile aufgezählt.

Also der Vorteil ist: Man kann ein bisschen mehr in die Welt rein. Und wenn jetzt Europa kommt, dann freu ich mich doch ein bisschen drauf. Dann werd ich vielleicht nächstes Jahr einfach mal so durchreisen. So richtig weggefahren bin ich bisher ja noch nicht. Das geht bei uns nicht wegen der Finanzen. Aber jetzt hab ich ja Glück gehabt mit der Lehrstelle.

Mit Martina sprach Vera Gaserow.

Wir wissen viel zu wenig voneinander

Senay Geiger (40) aus der Türkei, Sozialarbeiterin im „Beratungszentrum für türkische Mädchen und Frauen" in Kassel:

Vor 13 Jahren hat mich mein Mann mit unseren beiden kleinen Söhnen aus der Türkei nach Göttingen geholt. Am liebsten hätte ich auch in Deutschland weiter als Lehrerin gearbeitet – an einer türkischen Schule. Aber damals hätte ich drei Jahre auf eine Erlaubnis warten müssen. Also wollte ich wenigstens einen Sprachkurs machen. Aber das passte meinem Mann nicht. Er hatte sich in dieser Gesellschaft wirklich sehr verändert. In der Türkei waren wir zusammen in der linken Oppositionsbewegung, sind für Pressefreiheit und Frauenrechte auf die Straße gegangen. Hier aber, wo ihm alles ganz fremd vorkam, hatte er Angst, uns zu verlieren. Deshalb verhielt er sich plötzlich wie ein traditioneller türkischer Mann, der es am liebsten sieht, wenn die Frau nur zu Hause ist.

Irgendwann hat es mir gereicht. Ich wollte endlich was tun und in Kassel ein Aufbaustudium im Sozialbereich machen. Da hat mein Mann gesagt: „Dein Studium oder ich." Trotzdem bin ich nach Kassel gegangen – zunächst an zwei Tagen pro Woche – und habe dort bei deutschen Studentinnen in einer Wohngemeinschaft übernachtet. Ich jobbte bis nachts als Putzfrau und in einer Kneipe, um Geld fürs Studium zu verdienen.

1983 hat mein Mann die Scheidung eingereicht. Heute lebt er mit unserem 16-jährigen Sohn in der Türkei. Ich zog damals mit unserem Ältesten in die Wohngemeinschaft um und brachte mein Studium zu Ende. Weil ich so viel durchgemacht hatte, wollte ich nun auch denen helfen, die etwas Ähnliches erleben. Deshalb gründete ich 1986 im Auftrag des Kasseler Jugendamts mit anderen Türkinnen das „Beratungszentrum für türkische Mädchen und Frauen". Ich konnte von Anfang an freier und selbständiger arbeiten als in der Türkei. Dort standen wir als Lehrer nämlich unter totalem politischem Druck.

In unser Zentrum kommen Mädchen, die möchten zum Beispiel gern eine Ausbildung machen, bekommen aber Probleme zu Hause oder mit ihrem türkischen Freund. Der ist häufig noch strenger als ihr Vater. Dann überlege ich meistens zusammen mit den Müttern, was zu tun ist. Die setzen sich in der Familie oft mit viel mehr Power durch, als es nach außen hin scheint. „Meine Tochter", sagen mir viele, „die soll was Besseres werden als ich, Ärztin oder Anwältin."

Doch häufig haben die Mädchen gar kein Abitur, und ich muss sie und ihre Mütter überzeugen: Krankenschwester oder Anwaltsgehilfin ist auch was Gutes.

Wir sind aber nicht nur für junge Türkinnen da. Uns besu-
55 chen auch deutsche Frauen, wenn sie mehr über uns und unsere Tradition wissen wollen. Lehrerinnen mit ihren Schülerinnen, Studentinnen, Künstlerinnen, Hausfrauen oder Arbeiterinnen, die türkische Kollegen haben. Wir malen zusammen oder machen Musik. Solche Kontakte sind so
60 wichtig, denn wir wissen viel zu wenig voneinander.

Junge Türkinnen zum Beispiel beneiden deutsche Frauen. Sie sagen: Die sind so schön und so stark und völlig frei – ohne Probleme in der Familie oder in der Gesellschaft. Und von deutschen Frauen höre ich dann: Wir sind für türkische
65 Männer doch nur wie leichte Mädchen; heiraten würden sie uns nie ... Klar, dass da ganz schnell Ängste hochkommen. Dabei gibt es doch wirklich keinen Prototyp für eine Nationalität. Ich kenne einige Türken, die finde ich ganz mies, und andere, die habe ich sehr gern – und genauso
70 geht es mir mit Deutschen.

Was heißt hier deutsch?

Geschichtlich stammen die Deutschen von mindestens fünf sehr unterschiedlichen germanischen Stämmen ab – Franken, Sachsen, Alemannen, Lothringer und Bayern. Die Preußen, Inbegriff deutscher
5 Zucht und Ordnung, sind keine Germanen, sondern ein baltisches Volk, also eigentlich Ausländer. Und auch die urgermanischen Stämme sind nicht lupenrein deutsch. Die Sachsen zum Beispiel vermischten sich auf ihrem Weg nach Osten mit den Slawen. Wer Deutscher ist, lässt sich, histo-
10 risch gesehen, grundsätzlich nicht so genau sagen ...

Ein Viertel aller Wörter im Deutschen sind ausländischen Ursprungs. So ist das Auto zwar eine deutsche Erfindung, das Wort „Automobil" ist aber halb Latein, halb Griechisch. Das Bier, urdeutsches Getränk, haben dagegen nicht die
15 Deutschen erfunden, sondern die Sumerer im Vorderen Orient.

Den Wein brachten die Römer, die Kartoffel, wesentlicher Bestandteil der deutschen Speisekarte, bauten als Erste die Indianer Südamerikas an. Die Maultasche, urschwäbische
20 Spezialität, brachte vielleicht schon Marco Polo aus China mit, zumindest aber geht sie zurück auf russische Piroggen und italienische Ravioli. Eine deutsche Erfindung ist sie nicht. Die Kehrwoche, Symbol schwäbischen Ordnungssinns, kam unter Napoleon auf, als die württembergische
25 Verwaltung nach französischem Vorbild umorganisiert wurde.

Den Fußball haben ebenfalls die Franzosen erfunden, und zwar im 12. Jahrhundert. Erst 700 Jahre später kam er auf dem Umweg über England nach Deutschland.

Nai-Li
Ma

Geschichte eines Halbdrachen

Ich las einmal die Geschichte eines
Halbdrachen: Mutter Nilpferd, Vater Drache. Er hatte einen
Nilpferdkopf, einen Krokodilschwanz ...
Wer weiß, wie das ist, ein Halbdrache zu sein?

5 Meine Augen waren zu hell, meine Nase zu hoch. Man sah
es mir an. Die Blicke sagten mir: Ni shi waiguo ren (Du bist
Ausländer) ...
Ich sehnte mich danach, wie alle anderen zu sein. Bis ich
nach Jahren entdeckte, dass dieser Mangel keine Armut,
10 sondern Reichtum sein kann. Ich bin arm und reich zugleich. Ich bin weder noch, ich bin beides.
China ist das Land meines Vaters.
Deutsch ist die Sprache meiner Mutter.
Ich wuchs in meinem Vaterland auf. Aber das Land, in dem
15 man meine Muttersprache spricht, hatte ich nie gesehen.
In der Kindheit war Mutter die einzige Person, die Deutsch
sprach. Abends las sie Märchen vor. „Grimms Märchen"
und „Biene Maja" und „Struwwelpeter" und „Max und Moritz". Sie saß am Bettrand ...
20 Die Bücher kamen von Großmutter. Die kleinen Pakete von
Oma, die ich nie kennen gelernt habe, waren immer ein
Fest für mich. Schon in der Schule brannte ich darauf, nach
Hause zu laufen, um meine neuen Schätze zu betrachten.
Solche Bücher hatten andere Kinder nicht. Es waren be-
25 sondere Schätze.
Mutter versuchte, als ich im Schulalter war, mir das Lesen
und Schreiben in Deutsch beizubringen. ...
Mein erstes Lehrbuch war ein Schulbuch für Erstklässler
der bayerischen Grundschulen des Jahres 1949. ... Ich er-
30 innere mich auch noch an sämtliche „au", „eu", „ch" und
„sch", die Mutter mit einem Bleistift umkreiste, die ich
ständig falsch aussprach. In diesem Buch hatten die kleinen
Mädchen Dirndl an, das Kind mit weißen Flügeln und
weißem Hemd hieß Christkind, der Mann mit weißem Bart
35 und roter Jacke Nikolaus. Graue Gräber im Herbstregen,
grüne Wiesen, Maikäfer und die Glocke auf dem Kirchturm.
Das war Deutschland. Seitdem zog mich dieses unerreich-
bare Deutschland mit einer unheimlichen Kraft zu sich hin.
Jahre später kam das Lesen und Schreiben automatisch. Da-
40 mals korrespondierte ich mit Kindern aus der DDR. Sie
schrieben einfach nach China und wollten mit chinesischen Kindern Briefe austauschen. Ich hatte meine Brief-
freunde nie gesehen. Doch es wurden wunderbare Freundschaften. Jeder Brief war ein Anlass zum Feiern. Und der
45 Postbote wurde der willkommenste Mann bei mir. Mit den
Briefen kamen auch Postkarten, Fotos, Briefmarken, ge-
presste Blumen. Alles bewahrte ich behutsam in einer
großen Pappschachtel auf. Sollte es brennen, sagte ich den
Eltern, wäre die Schachtel das Erste, was zu retten sei. ...
50 Das Gefühl, selbst lesen und schreiben zu können, machte
mich so glücklich, dass ich jede Woche mehrere Briefe
schrieb.
Ich war oft krank. Die Hauptbeschäftigung im Krankenbett
war die Lektüre aller Briefe, bis ich sie fast auswendig
55 konnte. Ich träumte davon, meine Freunde aus der Ferne
kennen zu lernen. Ich träumte tatsächlich von ihnen. Doch
wusste ich, daß das nur ein Traum bleiben würde. Und das
blieb es auch.
Das erste „richtige" Stück Literatur, das ich auf Deutsch las,
60 war ein Gedicht von Goethe: „Dämmerung senkte sich von
oben, schon ist alle Nähe fern ...". ... Ich las es mir abends
unter dem Mondschein selbst vor und war versunken und
glaubte, ich sei glücklich.
Ich lief und suchte nach neuen Büchern. Es gab keine,
65 außer russische Schulbücher für den Deutschunterricht. So
las ich die ersten Texte von Heine, Goethe, Schiller. Es waren einfache Texte wie „Lorelei". Manche lernte ich auswendig und las sie mir selbst vor. Die Sprache, die sonst für
mich Haushalt und Familie bedeutete, bekam ein anderes
70 Gesicht, fremd und faszinierend zugleich. Neue Wörter.
Neuer Stil. Vieles verstand ich nicht. Aber es war schön.
Und wie enttäuscht war ich, als ich viele Jahre später auf
der Lorelei stand und entdeckte, dass sie nur ein großer flacher Fels war, auf dem Touristen den Rhein fotografierten
75 und Kaffee tranken.

Wir wohnten in einem viereckigen Hof, der mit grauen
Steinplatten gepflastert war. An allen vier Seiten waren
Zimmer. Mitten im Hof stand ein Nussbaum. Das Grün
wuchs über das graue Dach und schaute auf die anderen
80 Dächer der Altstadt. Der Tritt über die Schwelle des Tores

bedeutete Übergang in die deutsche Sprache. Mutter war konsequent und verlangte von allen, zu Hause Deutsch zu sprechen. Vater sprach auch Deutsch, aber für ihn war das auch eine Fremdsprache, die ihm als Erwachsener „einge-
85 pflanzt" worden war. Vater, Schwester und ich neigten dazu, Chinesisch zu sprechen, aus Gewohnheit, aus Bequemlichkeit. Deutsch war schwierig, vor allem, wenn sich das Gespräch dem politischen oder wissenschaftlichen Bereich zuwandte. Mutter protestierte dann: „Ich will auch

„Fischers Fritze fischt frische Fische" bei. Keiner konnte es nachsagen. Und dieser Satz, der Sündenbock der deutschen Sprache, vermittelte vermutlich meinen Freunden den Ein-
105 druck für eine längere Zeit – zischend, lispelnd, hart, unmöglich. Welches Unrecht! Ich hätte ihnen Goethes Gedicht beibringen sollen. Das habe ich lange bereut.
An Festtagen, wenn die Klasse eine kleine Feier veranstaltete, verlangten sie, dass ich ein deutsches Lied singe und „Fischers Fritze" vorsage. Ich kannte wenige Lieder. Ich

90 was verstehen!" Dieses berechtigte Verlangen zog uns trotz aller Sprachbarrieren ins Deutsche zurück.
Vor Schulkameraden sprach ich nie Deutsch. Ich schämte mich. Am liebsten wollte ich, sie hätten vergessen, dass ich noch eine andere Sprache kannte. Das war etwas, was die
95 anderen nicht hatten. Und ich wollte wie die anderen sein. Sie empfanden diese Sprache, wie alle Fremdsprachen, als komisch, unverständlich und hart, da bei uns kaum jemand eine Fremdsprache konnte und es auch selten vorkam, dass überhaupt Fremdsprachen zu hören waren. Aber sie waren
100 neugierig. Einmal brachte ich meinen engsten Freunden

110 sang dann immer „O Tannenbaum", das einzige Lied, das ich gut kannte. Welchen Eindruck haben diese fremden Klänge wohl auf die Klasse gemacht?
An Weihnachten hatte ich nie schulfrei. Aber Mutter trieb immer einen kleinen Nadelbaum auf, keine Tanne, keine
115 Fichte, aber er konnte als Weihnachtsbaum dienen, der in einem Blumentopf in der Ecke des Zimmers stand. Als Ersatz für Schnee wurde Zahnpasta auf die Äste geschmiert. Zum Baum gab es Kerzen und Weihnachtslieder auf Tonband. Das Kerzenlicht war warm. Die Lieder ruhig. Mutter
120 hatte dann Tränen in den Augen, und alle wurden still. Die

Lautstärke der Lieder musste oft gedämpft werden in den Jahren, wo das Hören ausländischer Musik nicht erlaubt war. Es war der einzige Weihnachtsbaum unter allen grauen Dächern.

125 Auch das chinesische Neujahr feierten wir; überhaupt hatten wir doppelt so viele Feste. Das ist kein Fest der Stille und der Besinnung. Es ist laut, farbenfroh, voller Lebensfreude, gekennzeichnet durch viel Besuch, Geplauder, gute Küche, neue Kleidung und das Geknalle, das die ganze Sil-

130 vesternacht durchzieht. Voller Bewegung, dennoch ohne Hektik; kreuz und quer, dennoch voller Harmonie.

Im Frühling suchten wir dann Ostereier im grauen Steinplattenhof, Mutter färbte sie mit Textilfarben und rieb sie mit Speckschwarte ein.

135 Im Herbst saß die Familie unter dem Nußbaum und schaute in den nächtlichen Himmel. Es war Mondfest. Ein heller, klarer Vollmond. Er bedeutete Harmonie und Beisammen-

sein der Familie. Vergeblich suchte ich immer Chang-e, die Mondfee, die nach alten Sagen in den Mond geschwebt sein 140 sollte, zu erkennen und den Kassiabaum, unter dem sie stehen sollte. ...

So habe ich Deutsch gelernt. Ohne Schule, ohne Lehrer. Ich kannte keine Grammatik. Ich konnte nicht rechtschreiben. Lange blieb meine Sprache eine Art Kindersprache. Ich 145 hatte keine Möglichkeit, außerhalb der Familie Deutsch zu hören und zu sprechen. Und in einer Familie bleibt das Kind ein Kind. So kam es, dass mein Wortschatz, meine Kenntnisse, die Fähigkeit des Strukturierens und Analysierens im Chinesischen „normal" fortschritten und im Deut-150 schen wie bei einer Kinderlähmung in ihrem Anfangsstadium zurückblieben. Diese Distanz konnte erst aufgeholt werden, als ich nach Deutschland kam und anfing, in Deutsch zu denken. Zum ersten Mal?

Die erste Überraschung war, dass in Deutschland alle 155 Deutsch sprechen. Natürlich wusste ich das vorher. Aber als Männer, Frauen, Alte, Kinder, Putzfrau, Professor und auch noch Ausländer, als all das plötzlich um mich herum Deutsch sprach, laut, leise, tief, hoch, gelehrt, primitiv, auf Hochdeutsch, auf Bayrisch, überfiel mich ein unausspech-160 liches Gefühl. Bis dahin war Deutsch die Sprache meiner Mutter. Jetzt sprechen Häuser, Bäume, Autos und Hunde Deutsch. Die Welt spricht Deutsch. Diese Sprache ist wie sein Land und die Menschen selbst, die sie sprechen: schön, rein, sauber und ordentlich, ja steril: kein Gräschen 165 krümmt sich, kein Steinchen tanzt außer der Reihe, kein Staubkorn in der Luft. Die Politiker reden dir wie geborene Rhetoren die Seele aus dem Leib und vergessen nie, einen Satz zu Ende zu sprechen.

Die Begegnung mit Deutschland war ein Kennenlernen, ein 170 Wiedersehen. Es war Bestätigung, Enttäuschung, Schwärmen, Kritisieren. Wiesen und Wälder waren vertraut. Mir kam es vor, ich hätte sie schon ewig gekannt. All das, was ich in Bildern, Büchern, aus Mutters Erzählungen kannte, stand lebendig vor mir. ...

175 Manchmal überkommt es mich, Chinesisch zu sprechen. Meine Vatersprache wird mich nie verlassen. Sie ist mir angeboren, so wie Augen und Nase mir angewachsen sind. In China empfand ich meine Sprache nie als schön, doch hier bekommt sie einen besonderen Reiz. ... Hier in Deutsch-180 land habe ich wieder zu ihr gefunden. Und ich weiß, dass ich ein Drache bin. Aber vielleicht doch nur ein halber?

Fatma
Mohamed Ismail

Ein deutsches Nein heißt Nein

Im vorigen Winter bin ich nach Deutschland gefahren, um meine deutschen Sprachkenntnisse zu verbessern und die Deutschen kennen zu lernen. Ich versuchte, mit den Deutschen Kontakt aufzunehmen.
5 Deshalb habe ich wiederholt Deutsche eingeladen. Und jeder, den ich eingeladen hatte, aß gern ägyptisches Essen. Doch einmal, als ich einen Taxifahrer und seine Frau zu mir eingeladen hatte, geschah etwas Seltsames. Ich hatte mich einen halben Tag auf diese Einladung vorbereitet. Als sie
10 um 18 Uhr kamen, war der Tisch schon gedeckt. Ich sagte: „Warum gucken Sie so? Das ist nicht zum Gucken, sondern zum Essen." Die Frau und ich setzten uns zum Essen hin, aber der Mann wollte nicht und sagte: „Nein, danke."
Ich sagte: „Aber kommen Sie zum Essen, es wird Ihnen gut
15 schmecken." „Nein", wiederholte er. Dann habe ich noch einmal gebeten: „Aber probieren Sie mal!"
Da sagte er ärgerlich: „Ich kann nichts essen." „Das geht doch nicht!", sagte ich. „Sie müssen etwas essen." Da erwiderte er: „Aber ich kann nicht! – Was sind Sie bloß für ein
20 Mensch?" Ich dachte: Was hast du getan, dass er so ärgerlich ist? Während des Essens fragte ich die Frau, die mich anstarrte, als wäre ich verrückt: „Warum will er nichts essen?" „Ehrlich, wenn er könnte, dann hätte er gern gegessen. Wir hatten keine Ahnung, dass Sie uns zum Essen ein-
25 laden würden. Deshalb haben wir schon zu Hause gegessen." „Ach, Entschuldigung!", sagte ich. „Bei uns in Ägypten ist bei einer Einladung das Essen eine ganz selbstverständliche Sache. Der Gast sagt zwar aus Höflichkeit ‚Nein, danke', aber damit ist nicht gemeint, dass er wirklich nicht
30 essen will. Man soll ihn mehrmals zum Essen auffordern, und dann wird er immer etwas nehmen, auch wenn er keinen Hunger hat, damit die anderen nicht böse auf ihn werden."
So habe ich erfahren, dass „Nein" auf deutsch ehrlich
35 „Nein" heißt.

Rudolf Otto Wiemer

empfindungswörter

aha die deutschen
ei die deutschen
hurra die deutschen
pfui die deutschen
ach die deutschen
nanu die deutschen
oho die deutschen
hm die deutschen
nein die deutschen
ja ja die deutschen

Doping und kein Ende?

Bei der Sommerolympiade in Seoul verlor der Sprinter Ben Johnson seine Goldmedaille, weil er nachweislich gedopt war. Seitdem wird der Hochleistungssport noch mehr kritisiert. Auch im folgenden Jahr wurden wieder mehrere Sportler bei Wettkämpfen disqualifiziert, weil sie unerlaubte Medikamente zur Leis-

tungssteigerung genommen hatten. So erging es zum Beispiel bei der Eishockey-Weltmeisterschaft 1990 auch dem deutschen Spieler Uwe Krupp, den man extra aus den USA hatte nachkommen lassen. Er sollte die deutsche Mannschaft verstärken, aber schon nach dem ersten Spiel wurde er nach Hause geschickt. Doping und kein Ende! Zwei der besten deutschen Sportler, Carlo Tränhardt und Harald Schmid, hatten sich darüber schon lange empört. Die beiden Athleten began-

nen in der Bundesrepublik eine besondere Aktion, um den Ruf ihrer Sportarten zu verteidigen.

Tränhardt hielt den Europarekord im Hochsprung, und Harald Schmid war Europameister im 400-m-Hürdenlauf. Beide wandten sich an die anderen deutschen Athleten und forderten sie auf,

bereits während des Trainings an regelmäßigen Doping-Selbstkontrollen teilzunehmen.

Regelmäßig sollte dann eine Liste der Sportler, die sich an der Aktion beteiligten, veröffentlicht werden. So konnte jeder sehen, wer mitmachte. Es durfte dann auch jeder kritisch fragen, warum man den Namen dieses

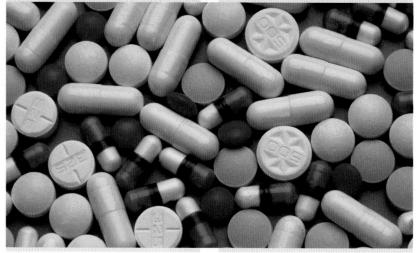

oder jenes Spitzensportlers nicht auf dieser Liste fand. Tränhardt und Schmid befürchteten nämlich, dass
45 die Sportler ihr Ansehen bald völlig verlieren würden, wenn nicht sofort etwas dagegen unternommen würde. „Immer weniger Leute glauben, dass Weltrekorde ohne die Einnahme von
50 Anabolika noch möglich sind", sagte Tränhardt. Die Weltrekorde zum Beispiel in der Leichtathletik sind bisher immer wieder verbessert worden. Neue Trainingsmethoden, längere
55 Trainingszeiten und besseres Übungsmaterial machten dies möglich.

Nun aber scheint hier die Grenze erreicht zu sein. Deshalb versuchen jetzt viele, den
60 menschlichen Körper zu manipulieren. Und das erregt Verdacht. Zu leiden haben darunter auch Unschuldige. So reagiert Claudia Zaczkiewicz, Olympiadritte über 100 m Hürden in
65 Seoul, wütend, wenn selbst Kinder sie schon fragen, ob sie etwas genommen habe. Das sei doch üblich!

Tatsächlich nehmen viele Spitzensportler seit vielen
70 Jahren Anabolika. Diese männlichen Geschlechtshormone versprechen mehr Gewicht, mehr Kraft und Ausdauer. Aber am Ende der Sportkarriere kommt dann meistens das böse Er-
75 wachen: Eine geschädigte Leber, Probleme mit Herz und Kreislauf, ein gestörter Hormonhaushalt und Depressionen.

Harald
Braun

Sportgeist

Als bei den Olympischen Spielen von Amsterdam im Dreitausend-Meter-Hindernislauf Nurmi gleich beim ersten Graben der Länge nach ins Wasser fiel, da drehte sich der vor ihm befindliche Franzose Duchesne
5 um und zog den tropfnassen Finnen im wahrsten Sinne des Wortes aus der Patsche. Diese Begebenheit – sie spielte sich in wenigen Sekunden ab – ist damals den meisten Zuschauern und Berichterstattern der Olympischen Spiele entgangen; aber es wäre mehr als schade, wenn sie verges-
10 sen würde. Versetzt euch doch einmal in die Lage! Duchesne, der vorne lag, hörte hinter sich das finnische Weltwunder ins Wasser fallen. Bis zu diesem Augenblick konnte er etwa Folgendes gedacht haben: Ich habe gegen Nurmi zu laufen, welch ein Pech! Ich weiß, was ich kann. Aber gegen
15 den ankommen? Hoffnungslos! So etwa. Oder er könnte auch gedacht haben: Ich habe gegen Nurmi zu laufen. Gegen Nurmi! Ich will, ich muss, ich werde versuchen, besser zu sein als er. Irgendeiner muss ihn schließlich irgendwann einmal besiegen, warum soll das nicht ich sein? Ich fühle
20 mich glänzend in Form. Und wer weiß, vielleicht – es gibt Zufälle – kommt mir noch was zu Hilfe ... Das ist sie!, konnte Duchesne denken, das ist sie, die Chance! Nurmi zappelt im Wasser; Pech für ihn. Los, Duchesne, heut wirst du Erster! So konnte Duchesne denken. Duchesne und
25 Nurmi liefen weiter. Sie waren inzwischen von anderen Läufern überholt worden. Wird es dabei bleiben? Nurmi holt auf. Duchesne mit. In der letzten Runde sind die bei-

Nurmi, 1928

den den übrigen um viele Meter voraus. Nurmi ist Erster. Duchesne dicht hinter ihm. Da, einen halben Meter vom
30 Ziel, stoppt Nurmi. Er will Duchesne als Ersten durchs Ziel lassen. Aber Duchesne lächelt und nimmt es nicht an. So laufen beide nebeneinander zu ihrem doppelten Sieg.

Ror Wolf

Eintracht erwache!

Mann Dicker du Pflaume		**JUU JU JU JU JUSUFI**
nun geh doch nach Hause		**DU SPIELST HEUTE**
O	**der macht doch na guck mal**	**SCHÖN WIE NIE**
TUN	**was macht denn die Krücke**	**JU JU JU JU**
MIR DIE	**der läuft doch spazieren**	**JUSUFI**
AUGEN WEH	**da fragt man sich wirklich**	**JAA**
WENN ICH EIN	**der fällt doch gleich um da**	**JA**
TRACHT SPIELEN	**der schläft doch der pennt ja**	
SEH OH TUN	**ach Leute das wird nichts**	**HAUT**
MIR DIE	**der fummelt der Nickel**	**SE HAUTSE**
AUGEN	**ein Saft Mann ein Käse**	**HAUTSE AUF DIE**
WEH	**aus Einwurf nein Ecke**	**SCHNAUZE HAUTSE**
O	**jetzt Schämer wo ist er**	**HAUTSE HAUTSE AUF**
	wo ist denn der Schämer	**DIE SCHNAUZE HAUTSE**
der ist gar nicht da was		**HAUTSE HAUTSE AUF DIE**
	wo bleibt denn die Blüte	**SCHNAUZE HAUTSE HAUT**
	da ist er hau drauf Mann	**SE HAUTSE AUF DIE**
UND	**los Lothar jetzt Hammer**	**SCHNAUZE HAUT**
SPIELT	**jetzt rauscht es pass auf du**	**SE HAUTSE**
DIE EIN	**hau drauf Mann na was denn**	**HAUT**
TRACHT NOCH	**das muss man sich ansehn**	**SE**
SO SAUER WIR	**das ist doch nicht möglich**	**O**
BRAUCHEN	**nun guck doch den Heese**	**JUU**
KEINEN	**ach schlaf doch zu Hause**	**JU JU JU**
BECKEN	**na Kerl du musst laufen**	**JUSUFI LEG**
BAU	**auf los gehts Mann Tempo**	**DEN RADI ÜBERS**
ER	**den hast du na komm schon**	**KNIE JU JU JU JU**
	bleib dran Kalb direkt jetzt	**JUSUFI JA JA JA**
und wieder kein Mensch da		**JUU JU JU JU**
und vorne ist Ende		**JUSUFI**

Ror Wolf, Das nächste Spiel ist immer das schwerste, © 1994 bei Frankfurter Verlagsanstalt GmbH

Fußball wörtlich

Flügelspiel   das Bein stehen lassen
Ballgefühl   kopflos spielen
Eckball   flacher Ball
Torjäger   Faustabwehr
Sportgeist

Ein weißes Team mit einem schwarzen Mann – da haben die Leute nicht schlecht gestaunt", beschreibt Anthony Baffoe seine Eindrücke von einer Afrikareise. Es war kein gewöhnlicher Urlaubstrip, denn Anthony ist Profifußballspieler

5 und hat Anfang des Jahres mit seinem Club Fortuna Köln in Kamerun an einem Turnier

Anthony Baffoe –
Ein farbiger Fußballer macht Karriere

teilgenommen. Es sind Eindrücke aus einem Land, das nur knapp tausend Kilometer von seiner westafrikanischen Hei-

10 mat Ghana entfernt ist, der Heimat, die er kaum kennt.
Denn „der Toni", wie man ihn in Deutschland nennt, ist als Sohn einer Diplomatenfamilie in Bonn-Bad Godesberg aufgewachsen. Kein Wunder, dass er besser „Kölsch" als irgendeine afrikanische Sprache spricht. Trotzdem hat man

15 ihn in Afrika gefeiert wie einen Volkshelden. „Als Star in Europa bist du für die Afrikaner wie ein Gott. Jeder junge Sportler träumt dort von so einer Karriere, die Reichtum, Ruhm und Anerkennung verspricht." So schildert Anthony die Reaktionen der Leute in Kamerun.

20 In Europa sieht die Realität allerdings oft anders aus. „Husch, husch, husch – Neger in den Busch", schallt es hier manchmal von den Zuschauerrängen, wenn Baffoe und seine Fortuna auswärts spielen. Zu Hause in Köln ist Anthony dagegen der Publikumsliebling. „Toni, Toni"-Rufe be-

25 gleiten seine Spurts auf dem rechten Flügel. „Hier sehen die Leute meine Hautfarbe gar nicht, sie akzeptieren den Sportler", sagt Toni. Toni sagt auch, dass er ein dickes Fell hat. Es ist ihm inzwischen egal, was die Zuschauer rufen oder die Reporter schreiben in ihren immer gleichen Klischees von

30 der „schwarzen Perle", die „Farbe ins Spiel bringt".
Anthony Baffoe kann sich wehren, nicht nur mit Taten, sondern auch mit Worten. Er kann nicht nur mit dem Ball, sondern auch mit der deutschen Sprache perfekt umgehen. Er kann verschiedene Dialekte und hat immer einen flotten

35 Spruch auf den Lippen. Trotzdem ist er kein Fußballclown, sondern ein selbstbewusster junger Mann, der auch sehr nachdenklich sein kann. Er macht sich Gedanken über das Schicksal von Ausländern, nicht nur von Farbigen. Jeden Tag wollen ihn Jugendliche sprechen, wollen wissen, wie er

40 es hier in Deutschland zum prominenten Sportler gebracht hat. Wenn er kann, hilft Toni seinen jungen Bewunderern mit Rat und Tat. Er gibt ihnen Tipps, hilft, spornt sie an. So-

zial zu denken und zu handeln, hat Toni schon früh gelernt. Er ist mit sechs Geschwistern aufgewachsen und hat zu al-

45 len ein gutes Verhältnis. Anthony Baffoe ist erst Mitte zwanzig und doch schon reifer als manche seiner Altersgenossen. Er liest, informiert sich, diskutiert. Seiner Profikarriere hat er einen Teil seiner Jugend geopfert. Schon mit 16 Jahren ist er zu Hause ausgezogen. Seitdem musste er allein zu-

50 rechtkommen. Dabei hat er schon alle Höhen und Tiefen einer Sportlerlaufbahn erlebt, hat Siege gefeiert, Misserfolge überwunden und dabei auch menschlich viel gelernt. Mit 18 Jahren kam er aus der Jugend des 1. FC Köln in das Profiteam. Als der Trainer, der ihn schätzte und förderte, gehen

55 musste, gab es auch für Toni keine Chance mehr. Er wechselte in die Zweite Liga. Nach einer erfolgreichen Saison kam er dann nach Stuttgart. Mit den „Stuttgarter Kickers" feierte er seinen größten sportlichen Erfolg. In Berlin spielte er mit seiner Mannschaft vor 80 000 Zuschauern um den

60 Deutschen Pokal. Leider verloren die Stuttgarter, aber Toni machte mit sehr guter Leistung auf sich aufmerksam. Es gab Kontakte zu Bundesligavereinen. Am Ende kehrte Anthony aber wieder nach Köln zurück. Dort fühlt er sich wohl, dort hat er seine Freunde. Auch bei seinen neuen Mitspie-

65 lern ist er beliebt. Trotzdem träumt er immer noch von der Bundesliga und einer internationalen Karriere.
Modellathlet Toni macht nicht nur auf dem Fußballplatz eine gute Figur. Auch auf dem Laufsteg bei Modenschauen oder als Fotomodell ist er eine imposante Erscheinung. Dabei

70 hilft ihm sein natürliches Bewegungstalent, das er beim Jazzdance immer wieder trainiert.
Selbst einmal Trainer oder Fußballmanager werden ist sein Ziel für die fernere Zukunft. Er möchte seine Erfahrungen als Profi an junge Talente weitergeben. Vielleicht führt ihn

75 der Weg noch einmal nach Kamerun, wo sie ihn schon wie einen Nationalhelden gefeiert haben.

„Ich renn mit Carl Lewis"

Matthias Schlicht gilt als große Hoffnung der deutschen Leichtathletik. Nach dem Abitur erhielt der 100-Meter-Läufer ein Stipendium der University of Houston in Texas. Dort trainierte er mit Olympiasieger Carl Lewis, um der beste weiße Sprinter zu werden. Alles lief nach Plan, bis etwas Unvorhergesehenes geschah.

An manchen Tagen ist die Hitze in Houston unerträglich. Die Quecksilbersäule im Thermometer scheint bei 38 °Celsius angelötet zu sein, die
10 Angestellten in den Wolkenkratzern verfluchen den Herrgott und danken ihren Chefs für die Klimaanlage. Die Eisverkäufer verdienen sich ihren Winterurlaub, und die Bettler, Junkies und Stadtstreicher haben einen Springbrunnen am Rand der Innenstadt zum öffentlichen Freibad erklärt.

Nur im Robertson Stadium auf dem Campus der University of Houston scheinen
15 ein paar junge, schwarze Sportler vom gesunden Menschenverstand verlassen zu sein. Als ob sie das feuchtheiße Wetter nichts anginge, scherzen sie und tänzeln auf der Tartanbahn zu lauter Musik aus einem offenen Cabriolet.

Nur einer, der aussieht wie der junge Schwarzenegger, ist nicht so gelöst wie die anderen. Konzentriert bereitet sich der einzige Weiße im Stadion auf das Training vor.
20 Man spürt, wie ungewohnt das Terrain für Matthias Schlicht ist. Sichtlich ungeübt im Smalltalk, trainiert der Berliner Student Tiefstarts auf der Gegengeraden. Und auch zum Tänzeln ist er nicht nach Texas gekommen. Der 22-jährige hat ein großes Ziel mit über den Atlantik gebracht: Er will hier in Houston zum schnellsten weißen 100-Meter-Läufer werden. Helfen

soll ihm dabei der beste Sprinttrainer der Welt, Tom Tellez.

Helfen sollen ihm auch dessen prominente Schützlinge Carl Lewis, Joe De Loach, Leroy Burrell und Stanley Floyd – vier der schnellsten Menschen der Welt. „Dass so einer wie Carl Lewis mit mir trainiert, motiviert mich wahnsinnig."

Matthias Schlicht hat Glück gehabt: Nach dem Abitur, an einer Schule in Berlin-Schlachtensee, wurde er von Rudi Thiel, Chef des Internationalen Stadionsportfests in Berlin, an Tom Tellez empfohlen.

Das Stipendium für ein Sportstudium, das er nach einem Probetraining bei Tellez erhielt, war für den jungen Berliner wie ein Sechser im Lotto. Denn da Universitäten in Amerika nicht wie bei uns vom Staat finanziert werden, nehmen sie

es Essen in der Athletes Hall, der Mensa für Uni-Sportler.

Matthias' wichtigste Bezugsperson in Houston ist Tom Tellez, der nicht nur auf gute Trainings-, sondern auch auf gute Studienleistungen achtet. „Er glaubt, dass nur gute Studenten auch gute Sportler werden", sagt Matthias. Doch Studium und quasiprofessionellen Sport miteinander zu verbinden ist hart. „Aber nur in Houston kann ich gegen Leute der Weltklasse laufen und so werden wie meine schwarzen Kollegen: hungrig auf Siege und trotzdem relaxed. Dann kann ich mein Ziel erreichen und der einzige Weiße unter lauter schwarzen Finalisten werden."

Drei Semester lief alles wie erhofft. Rudi Thiel, sein Berliner Mentor: „Matthias hat sich in Houston auch mental zu sei-

Studiengebühren – bis zu 25 000 Dollar im Jahr. Das wäre für Matthias unerschwinglich gewesen. Aber die Unis vergeben die Sportstipendien nicht aus lauter Menschenliebe. Die Stipendien sind ein Geschäft auf Gegenseitigkeit: Um möglichst hohe Einnahmen zu erzielen, müssen die Unis viele Erstsemester werben und Spenden bei Ehemaligen eintreiben. Die beste Werbung dafür sind siegreiche Sportler, die den Namen der Uni bekannt machen.

In Houston bekommt Matthias, der mit seiner Bestzeit von 10,37 Sekunden leicht Deutscher Meister im 100-Meter-Lauf werden könnte, ein „room and board scholarship". Er zahlt keine Studiengebühren, hat freie Unterkunft und frei-

nen Gunsten verändert." Dann endeten die Träume des Sprinters jäh. Thiel: „Es geschah bei einem Collegewettkampf im Robertson Stadion. Matthias hatte einen tollen Start, hatte Läufer abgehängt, die ihn früher geschlagen hatten. Plötzlich gab er auf. Er hatte sich am Oberschenkel verletzt."

Inzwischen versucht Matthias Schlicht wieder in Berlin, seine alte Form zu erreichen. Rudi Thiel hat die Hoffnung nicht aufgegeben: „Wenn Matthias seine Verletzung körperlich und geistig überwunden hat, wird ihn Tom Tellez wohl wieder aufnehmen. Dann kann er es packen."

Keine Chance für Torwart Cheops

Weiter Abschlag von Torwart Ramses I. Thutmosis nimmt den Ball direkt in der linken gegnerischen Hälfte an, ein sauberer Pass zu Nofretete, fast hätte
5 Amenophis III seinen Fuß noch dazwischengesetzt, doch Nofretete arbeitet sich durch ein geschicktes Dribbling bis zum Elfmeterpunkt vor – Bilderbuch-Doppelpass mit Echnaton, und
10 Nofretete setzt den Ball in die obere rechte Torhälfte, genau passend unter die Latte, wie es eben nur eine göttliche ägyptische Pharaonin vermag. Keine Chance für Torwart Cheops.

Auch die Pharaonen vor 5000 Jahren kannten sie schon, die
15 „spielerische Selbstentfaltung und am Leistungsstreben orientierte Form menschlicher Betätigung, die der körperlichen Beweglichkeit dient" (dtv-Lexikon), kurz gesagt: den Sport. Die altägyptischen Herrscher wussten bereits von der Wirkung von Brot und Spielen auf ihr Volk. Regelmäßig organi-
20 sierte sportliche Veranstaltungen gehörten zur Tagesordnung. Boxen, Ringen, Gewichtheben, Hochsprung, Schwimmen, Rudern, Jagen, Gymnastik und Ballspiele – an Sportarten mangelte es nicht.

Wir wissen nicht, ob schon damals Boxer vom Schlage Mu-
25 hammad Alis in den Boxring traten. Auch von verschiedenen Gewichtsklassen ist nichts überliefert. Aber eines ist sicher: Boxszenen sind auf mehreren Grabreliefs nachgewiesen. Etwa im Totentempel von Sakkara, wo die Wandreliefs in einer Präzision gearbeitet sind, die fast der Feinheit eines
30 Wandteppichs gleicht. Einer der Gegner setzt zum Schlag an, während der andere die Schläge geschickt abwehrt und sein Gesicht in Deckung bringt.

Auch Gewichtheben gab es bei den Pharaonen. Schwere Säcke mit Sand ersetzten damals die Gewichte. Sie mussten mit einer Hand hochgehoben werden. Jeder Versuch, bei dem es gelang, den Sack für kurze Zeit oben zu halten, zählte als erfolgreich. „Höher, weiter, schneller" war schon vor 5000 Jahren das Ziel der Leichtathleten. Etwa im Hoch-
40 sprung: Zwei Sportler bildeten eine Hürde, über die ein dritter springen musste, ohne sie zu berühren. Bei jedem erfolgreichen Sprung erhöhte sich die menschliche Latte. Ob ein Sportler wie beim heutigen Hochsprung drei Versuche hatte, darüber geben die Reliefs keine Auskunft.

45 Auch Ballspiele sind in der Gräberanlage von Sakkara abgebildet. Hergestellt wurde der Ball aus einer Haut, die mit Stroh gefüllt war. Es gab auch Bälle aus Papyrus, dem Material, das die Ägypter üblicherweise zu Papier verarbeiteten. In Mode scheint damals eine Art Hockeyspiel gewesen zu
50 sein. Die Schläger für dieses Spiel waren aus gebogenen und am Ende abgeflachten Palmenzweigen gemacht, die den heutigen Hockeyschlägern ähneln. Der Ball war bunt gefärbt. Von Zuschauerkrawallen ist allerdings nichts bekannt.

55 Dopingskandale im Ausmaß heutiger Wettbewerbe scheinen unter den ägyptischen Sportlern kein Thema gewesen zu sein. Dafür war aber vielleicht ein wenig Magie im Spiel, wofür die alten Ägypter ihre eigenen Mixturen kannten.

Karlhans
Frank

Grauer Klaus Supermaus

Na ja, da steh ich denn dann oben auf dem Sprungturm, und alle gucken bewundernd rauf zu mir, wie ich so mit den Muskeln spiel, breit lächle, meine weißen Zähne zeig, das lange, schwarze Haar lässig aus der Stirn wische mit der rechten Hand – da sehen dann alle, wie der Ring mit dem wertvollen Edelstein aufblitzt, und der Ernst versteckt seinen blöden Goldring hinter seinem Rücken ...

Langes Haar? Ach ja, da kräht schon der dicke Bademeister: „He, Junge, komm da runter. Hier muss man 'ne Badekappe anhaben, wenn man ins Wasser springt." Spring ich natürlich trotzdem, 'nen dreifach verdrehten Auerhahn mit Messingschraube und anschließend 'ne Pirouette, eh ich ohne einen Spritzer elegant wie 'n Aal ins Wasser tauche. Als ich wieder hochkomme, hör ich noch den Rest vom staunenden Aufschrei, den alle ausgestoßen haben, und ich kraul lässig zum Bassinrand, zieh mich mit einem Schwung hoch, steh mit einem Satz aufrecht da. Kommt trotzdem der blöde Bademeister, meint: „Hab ich dir nicht gesagt, du darfst nicht ohne Kappe ins Wasser?" Aus den Augenwinkeln seh

ich, wie Ute ängstlich guckt. Der Bademeister latscht auf mich zu, hat die Hand ausgestreckt. Ich warn ihn: „Sie wissen doch, dass Sie mich nicht anfassen dürfen?" Der lacht hässlich und will mich trotzdem anpacken, da nehm ich seinen Arm, dreh mich, werf ihn mit 'nem gekonnten Judowurf über die Hüfte weg, dass er ins Wasser platscht. Er prustet und krabbelt an Land. Alle lachen über ihn, auch Ute, die mich bewundernd anguckt. Der Bademeister aber geht zum Helmer und keucht: „Sie als Lehrer haben dafür zu sorgen, dass so was nicht passiert! Ich verlange eine harte Bestrafung von dem Jungen." Da antwortet der Helmer: „Wissen Sie denn nicht, wer das ist? Das ist der Klaus Maus."

„Verzeihen Sie bitte, das hab ich nicht gewusst", sagt der Bademeister zu mir und verbeugt sich und verbeugt sich und verbeugt sich, geht dabei rückwärts und fällt noch mal ins Wasser. Alle lachen hämisch über ihn, nur ich streck ihm die Hand hin, zieh ihn raus.

Dann steh ich da, guck, wie sich die andern abquälen. Der Ernst schwimmt ja ganz gut, aber an mich reicht er nicht ran. Ich soll ja auch in die Olympiamannschaft, kann mich nur noch nicht entscheiden, ob ich da schwimmen, springen, boxen, turnen oder Fußball spielen soll. Alles kann ich wohl nicht machen, obwohl die vom olympischen Komitee gerade beraten, wie man den Zeitplan machen kann, dass ich eventuell doch alles machen kann. Die wollen mich ja unbedingt als Mannschaftskapitän haben, weil ich sieben Sprachen perfekt kann – hab ich morgen mit angefangen, die zu lernen. (Erst vielleicht mal Englisch, damit ich die nächste Arbeit nicht wieder verhau.) Und wie ich so sinnend und schön anzusehen in mich versunken dasteh, spür ich eine zarte, ein wenig zitternde Hand auf meiner Schulter. „Was ist, Ute?", frag ich freundlich. Sie guckt mich an mit ihren großen, blauen Augen. Sie ist ganz rot im Gesicht. Sie lispelt – das tut sie immer, wenn sie aufgeregt ist, wenn sie beispielsweise in Physik drankommt. Aber jetzt lispelt sie wegen mir: „Klaus, ich wollt dich schon immer fragen, willst du mit mir gehen?"

„Na", sag ich cool, „du gehst doch mit dem Ernst."

„Was soll ich denn mit dem Ernst? Ich hab immer nur dich im Kopf, Klaus."

„Okay", sag ich, „dann geh ich mit dir." Ich ruf der Erika zu, die gerade am Sprungbrett steht: „Erika, wir können heut nicht ins Kino gehn. Ich geh ab jetzt mit der Ute." Da hockt
65 sich die Erika hin und weint. Ich springe schnell zu ihr, streichle sie sanft, spreche ihr zu: „Wein doch nicht, Erika. War schön mit dir, aber das Leben geht weiter." Leider kann ich sie nicht trösten.

Jedenfalls geh ich in meine Umziehkabine, trockne mich
70 ab, creme mich mit Lotion ein, schütte mir ein wenig von dem teuren Extraparfum auf den Körper, dann schlüpf ich in meine rein seidene Unterwäsche, zieh das todschicke, blaue Markenhemd mit den Schulterklappen an und die

Angst hat, wenn ich mich so waghalsig in die Kurven leg. „Halt dich gut fest an mir", ruf ich zurück. Da spür ich, wie sie ihre Hand unter meine Lederjacke (natürlich hab ich 'ne hypergute, schwarze Lederjacke mit silbernen Nieten an,
90 und gar keine Rollijeans, sondern 'ne enge, schwarze Lederhose) ... schiebt also die Hand nicht nur unter die Lederjacke, die Ute, sondern auch unters Hemd, und ich spür die Utehände auf meiner Haut, an den Hüften. Und so. Mensch, Ute!
95 Ute, Ute, ich mag dich. Dieser blöde Ernst, der sollte ... Der müsste mal auf dem Schulhof die Angeberjeans verlieren und in 'ner ganz schmutzigen Unterhose dastehn ...

hautengen Rollijeans, dazu die Cowboystiefel, kämme
75 mich, und dann wander ich langsam zu meinem Super-mofa. Das hab ich frisiert, es fährt 100 Kilometer in der Stunde, ach was, 124 Kilometer in der Stunde. Bergauf. Es hat 'nen Soziussitz, ist doch klar.

Da kommt auch Ute. Sieht ganz gut aus, die Puppe.
80 „Komm", sag ich, „steig auf, wir brausen ab." Drum herum stehen die andern und glotzen, vor allem der Ernst kriegt seine Gesichtsöffnungen nicht zu. Mir fällt ein, dass die Ute keinen Helm hat. Geb ich ihr natürlich meinen, und der Fahrtwind weht mein Haar nach hinten, als wir mit 148 Ki-
85 lometer die Stunde lossausen. Ich merk, dass sie ein wenig

Wir jagen auf meinem Mofa mit 156 Kilometer die Stunde
100 dahin, dann brems ich sacht, schwing mich rum auf dem Mofa. Ute lässt ihre Hände auf meiner Haut, dann küsst sie mich zärtlich, murmelt: „Klaus, lieber Klaus, großer, starker, schöner Klaus. Du riechst so gut und männlich ..."
Ich unterbrech sie, denn ich hab ja Zeit. Am Abend werd
105 ich sie mit nach Hause nehmen, oder in der Nacht. Der Mutti werd ich sagen: „Das ist Ute. Wir werden heiraten." Später ...

Jetzt unterbrech ich sie, frag: „Magst du mit ins Gin Gin?" 135 Oder so ähnlich. Natürlich noch besser. Die Ute ist ganz
„Mit dir geh ich überallhin", flüstert sie, hat Tränen in den happy, weil sie merkt, dass ich schon vorher scharf auf sie
110 Augen. war. Als ich mit Singen fertig bin, da johlen alle, und ich
Wir driven ins Gin Gin. Als wir reinkommen, gibt's ein zünd mir 'ne Zigarette an ...
großes Hallo und Geschrei, etwa so: „Der Klaus ist da! Mit „Klaus!" Verdammt, das ist Mutti.
'ner superfeinen Braut! Jetzt wird's toll! Jetzt geht was ab! 140 „Nnjoa", knautscht er.
Der Klaus, das ist 'ne scharfe Nummer. Wer ist das? Klaus „Liegst du etwa schon wieder auf dem Bett rum und
115 Maus! O, bärenstark!" Und so weiter. Der Keeper stellt mir träumst? Das kann doch nicht normal sein. Solltest lieber
sofort 'nen Bacardi hin, weil ich den hier immer trinke. was für die Schule tun oder dich wenigstens bewegen, Fuß-
(Möcht ja doch mal wissen, was das ist, ein Bacardi!) ball spielen meinetwegen. Du wirst zu dick, ist dir das
Ich trink den ersten auf einen Zug, bestell: „Bring mir schon 145 klar?"
mal 'nen neuen und für die Ute 'nen Rum mit Cola." Dann Klaus fühlt mit der Zunge an seiner Zahnspange. Warum
120 tanzen wir. Die andern verlassen die Tanzfläche, schauen soll er nicht dick sein? Wegen Ute? Die geht sowieso mit
dem Ernst. Die Mutter kräht weiter:
„Komm jetzt runter, Klaus. Du musst
150 doch heute Nachmittag zum Schul-
schwimmen. Kannst vorher noch zum
Friseur, damit dir die Haare nicht über
die Ohren wachsen. Bring sofort die
Badesachen mit, und vergiss die Bade-
155 kappe nicht."
Schwimmen. So'n Blödsinn. Dann lachen wieder alle über ihn. Er ist der
Einzige aus der Klasse, der nicht
schwimmen kann. Aber irgendwann
160 geht er heimlich üben, dann werden
die dumm gucken.
„Beeil dich!"
Beeil dich, sagt die Mutter. Immer soll
er sich beeilen. Wenn er ein Mofa

uns zu, wie ich da tanz, ganz locker, entspannt, die Ute vor 165 hätte, ging alles schneller. Aber er hat nicht einmal ein
mir, die sich bewegt wie 'ne Disco-Queen, das Haar fliegt Fahrrad. Was für ein verpfuschtes Leben, denkt Klaus. Und
ihr vors Gesicht, und sie wiegt sich ... diese blöden Stoffhosen mit Bügelfalten knittern, wenn
Dann kommt ein Typ und fragt: „Willsde heut wieder ans man darin auf dem Bett liegt ...
125 Mikro, den Discjockey machen? Oder willst du uns sogar Irgendwann, das nimmt sich Klaus wieder einmal vor, ist er
was singen? Wir ham auch 'ne Gitarre für dich hier." 170 nicht mehr der graue Klaus. Irgendwann ist er die Super-
„Klar", sag ich, „mach ich. Hab ich Bock drauf, eine Num- maus. Aber bis dahin sollen sie ihn doch hier auf dem Bett
mer zu singen. Discjockey kann ich heut nicht, weil ich ja liegen und träumen lassen.
mit meiner Braut hier bin." Dann krieg ich 'ne Gitarre und Mensch, Ute, wenn du wüsstest, wie ich träumen kann!
130 fetz los, selbst getextete und selbst komponierte Hits von
meiner nächsten Doppel-LP, so was wie:

„Hey, Ute, I'm so true for you,
bababaway, babadatschu,
yeah! yeah!"

114   *Sport*

Sprachspiele

Von Insel zu Insel

Dass die Deutschen gerne reisen, ist Ihnen nicht neu. Eines der beliebtesten Reiseziele sind die Kanarischen Inseln. Die werden in eine westliche und eine östliche Inselgruppe aufgeteilt. Die Inseln heißen: Tene-
5 riffa, Gran Canaria, La Palma, Lanzarote, Gomera, El Hierro und Fuerteventura. Das ganze Jahr über tummeln sich zehntausende von Touristen auf den Kanarischen Inseln. Zwischen den Inseln verkehren Flugzeuge und Schiffe.

Aufgabe: Sie wollen an einer Kreuzfahrt teilnehmen, auf der
10 Sie alle Inseln anlaufen. Die Fahrt dauert genau eine Woche. Wie fährt das Schiff? Wo liegen die Inseln, die das Schiff anfährt? (Sie dürfen nicht im Atlas nachschlagen!) Hinweise hierzu finden Sie im Arbeitsbuch auf Seite 167.

Peter
Bichsel

Ein Tisch ist ein Tisch

Ich will von einem alten Mann erzählen, von einem Mann, der kein Wort mehr sagt, ein müdes Gesicht hat, zu müd zum Lächeln und zu müd, um böse zu sein. Er wohnt in einer kleinen Stadt, am Ende der
5 Straße oder nahe der Kreuzung. Es lohnt sich fast nicht, ihn zu beschreiben, kaum etwas unterscheidet ihn von andern. Er trägt einen grauen Hut, graue Hosen, einen grauen Rock

und im Winter den langen, grauen Mantel, und er hat einen dünnen Hals, dessen Haut trocken und runzelig ist, die
10 weißen Hemdkragen sind ihm viel zu weit.
Im obersten Stock des Hauses hat er sein Zimmer, vielleicht war er verheiratet und hatte Kinder, vielleicht wohnte er früher in einer andern Stadt. Bestimmt war er einmal ein Kind, aber das war zu einer Zeit, wo die Kinder wie Er-
15 wachsene angezogen waren. Man sieht sie so im Fotoalbum der Großmutter. In seinem Zimmer sind zwei Stühle, ein Tisch, ein Teppich, ein Bett und ein Schrank. Auf einem kleinen Tisch steht ein Wecker, daneben liegen alte Zeitun-

gen und das Fotoalbum, an der Wand hängen ein Spiegel
20 und ein Bild.
Der alte Mann machte morgens einen Spaziergang und nachmittags einen Spaziergang, sprach ein paar Worte mit seinem Nachbarn, und abends saß er an seinem Tisch.
Das änderte sich nie, auch sonntags war das so. Und wenn
25 der Mann am Tisch saß, hörte er den Wecker ticken, immer den Wecker ticken.
Dann gab es einmal einen besonderen Tag, einen Tag mit Sonne, nicht zu heiß, nicht zu kalt, mit Vogelgezwitscher, mit freundlichen Leuten, mit Kindern, die spielten – und
30 das Besondere war, dass das alles dem Mann plötzlich gefiel. Er lächelte.
„Jetzt wird sich alles ändern", dachte er. Er öffnete den obersten Hemdknopf, nahm den Hut in die Hand, beschleunigte seinen Gang, wippte sogar beim Gehen in den
35 Knien und freute sich. Er kam in seine Straße, nickte den Kindern zu, ging vor sein Haus, stieg die Treppe hoch, nahm die Schlüssel aus der Tasche und schloss sein Zimmer auf.
Aber im Zimmer war alles gleich, ein Tisch, zwei Stühle,
40 ein Bett. Und wie er sich hinsetzte, hörte er wieder das Ticken, und alle Freude war vorbei, denn nichts hatte sich geändert.
Und den Mann überkam eine große Wut.
Er sah im Spiegel sein Gesicht rot anlaufen, sah, wie er die
45 Augen zukniff; dann verkrampfte er seine Hände zu Fäusten, hob sie und schlug mit ihnen auf die Tischplatte, erst nur einen Schlag, dann noch einen, und dann begann er auf den Tisch zu trommeln und schrie dazu immer wieder: „Es muss sich ändern, es muss sich ändern!"
50 Und er hörte den Wecker nicht mehr. Dann begannen seine Hände zu schmerzen, seine Stimme versagte, dann hörte er den Wecker wieder, und nichts änderte sich.
„Immer derselbe Tisch", sagte der Mann, „dieselben Stühle, das Bett, das Bild. Und dem Tisch sage ich Tisch,
55 dem Bild sage ich Bild, das Bett heißt Bett, und den Stuhl nennt man Stuhl. Warum denn eigentlich?" Die Franzosen sagen dem Bett „li", dem Tisch „tabl", nennen das Bild „tablo" und den Stuhl „schäs", und sie verstehen sich. Und die Chinesen verstehen sich auch.

„Weshalb heißt das Bett nicht Bild?", dachte der Mann und lächelte, dann lachte er, lachte, bis die Nachbarn an die Wand klopften und „Ruhe" riefen.

„Jetzt ändert es sich", rief er, und er sagte von nun an dem Bett „Bild".

„Ich bin müde, ich will ins Bild", sagte er, und morgens blieb er oft lange im Bild liegen und überlegte, wie er nun dem Stuhl sagen wolle, und er nannte den Stuhl „Wecker". Er stand also auf, zog sich an, setzte sich auf den Wecker und stützte die Arme auf den Tisch. Aber der Tisch hieß jetzt nicht mehr Tisch, er hieß jetzt Teppich. Am Morgen verließ also der Mann das Bild, zog sich an, setzte sich an den Teppich auf den Wecker und überlegte, wem er wie sagen könnte.

Dem Bett sagte er Bild.

Dem Tisch sagte er Teppich.

Dem Stuhl sagte er Wecker.

Der Zeitung sagte er Bett.

Dem Spiegel sagte er Stuhl.

Dem Wecker sagte er Fotoalbum.

Dem Schrank sagte er Zeitung.

Dem Teppich sagte er Schrank.

Dem Bild sagte er Tisch.

Und dem Fotoalbum sagte er Spiegel.

Also:

Am Morgen blieb der alte Mann lange im Bild liegen, um neun läutete das Fotoalbum, der Mann stand auf und stellte sich auf den Schrank, damit er nicht an die Füße fror, dann nahm er seine Kleider aus der Zeitung, zog sich an, schaute in den Stuhl an der Wand, setzte sich dann auf den Wecker an den Teppich und blätterte den Spiegel durch, bis er den Tisch seiner Mutter fand.

Der Mann fand das lustig, und er übte den ganzen Tag und prägte sich die neuen Wörter ein. Jetzt wurde alles umbenannt: Er war jetzt kein Mann mehr, sondern ein Fuß, und der Fuß war ein Morgen und der Morgen ein Mann.

Jetzt könnt ihr die Geschichte selbst weiterschreiben. Und dann könnt ihr, so wie es der Mann machte, auch die anderen Wörter austauschen:

läuten heißt stellen,

frieren heißt schauen,

liegen heißt läuten,

stehen heißt frieren,

stellen heißt blättern.

Sodass es dann heißt:

Am Mann blieb der alte Fuß lange im Bild läuten, um neun stellte das Fotoalbum, der Fuß fror auf und blätterte sich auf den Schrank, damit er nicht an die Morgen schaute.

Der alte Mann kaufte sich blaue Schulhefte und schrieb sie mit den neuen Wörtern voll, und er hatte viel zu tun damit, und man sah ihn nur noch selten auf der Straße.

Dann lernte er für alle Dinge die neuen Bezeichnungen und vergaß dabei mehr und mehr die richtigen. Er hatte jetzt eine neue Sprache, die ihm ganz allein gehörte.

Hie und da träumte er schon in der neuen Sprache, und dann übersetzte er die Lieder aus seiner Schulzeit in seine Sprache, und er sang sie leise vor sich hin.

Aber bald fiel ihm auch das Übersetzen schwer, er hatte seine alte Sprache fast vergessen, und er musste die richtigen Wörter in seinen blauen Heften suchen. Und es machte ihm Angst, mit den Leuten zu sprechen. Er musste lange nachdenken, wie die Leute zu den Dingen sagen.

Seinem Bild sagen die Leute Bett.

Seinem Teppich sagen die Leute Tisch.

Seinem Bett sagen die Leute Zeitung.

Seinem Stuhl sagen die Leute Spiegel.

Seinem Fotoalbum sagen die Leute Wecker.

Seiner Zeitung sagen die Leute Schrank.

Seinem Schrank sagen die Leute Teppich.

Seinem Tisch sagen die Leute Bild.

Seinem Spiegel sagen die Leute Fotoalbum.

Und es kam so weit, dass der Mann lachen musste, wenn er die Leute reden hörte.

Er musste lachen, wenn er hörte, wie jemand sagte: „Gehen Sie morgen auch zum Fußballspiel?" Oder wenn jemand sagte: „Jetzt regnet es schon zwei Monate lang." Oder wenn jemand sagte: „Ich habe einen Onkel in Amerika."

Er musste lachen, weil er all das nicht verstand.

Aber eine lustige Geschichte ist das nicht. Sie hat traurig angefangen und hört traurig auf.

Der alte Mann im grauen Mantel konnte die Leute nicht mehr verstehen, das war nicht so schlimm.

Viel schlimmer war, sie konnten ihn nicht mehr verstehen.

Und deshalb sagte er nichts mehr.

Er schwieg, sprach nur noch mit sich selbst, grüßte nicht einmal mehr.

Ein steiniger Weg

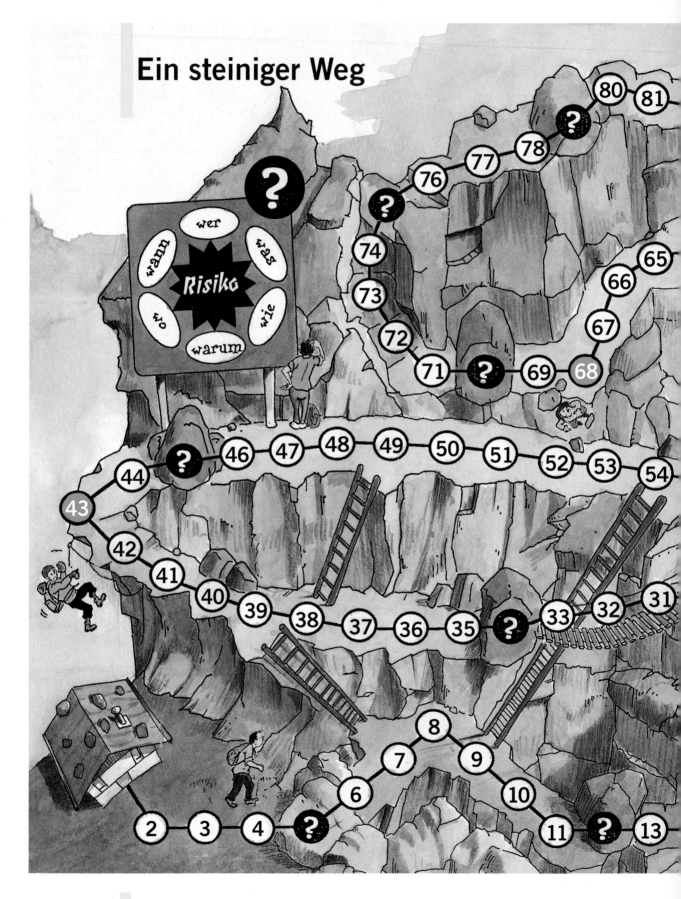

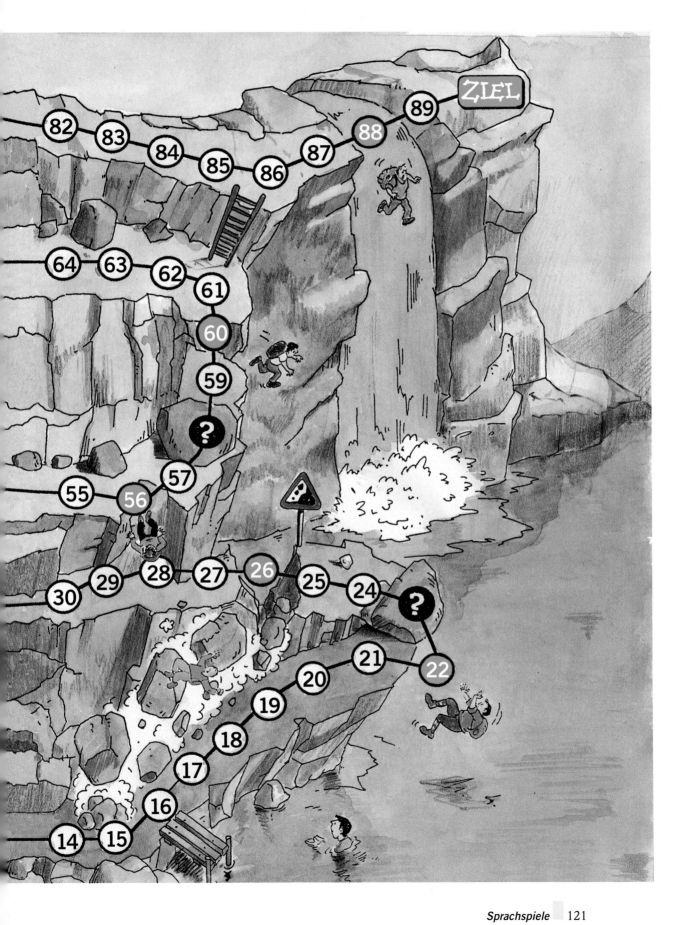

James Krüss

Wenn die Möpse Schnäpse trinken

Wenn die	Wenn vor	Wenn im	Wenn in	Wenn	Wenn an	Dann
Möpse	Föhren	Schlafe	Wecken	Giraffen	Stangen	Entsteht zwar
Schnäpse	Bären	Schafe	Schnecken	Affen	Schlangen	Ein Gedicht,
Trinken,	Winken,	Blöken,	Stecken,	Fangen,	Hängen,	Aber
Wenn vorm	Wenn die	Wenn im	Wenn die	Wenn ein	Wenn der	Sinnvoll
Spiegel	Ochsen	Tal	Meise	Mäuslein	Biber	Ist es
Igel	Boxen	Ein Wal	Leise	Läuslein	Fieber	Nicht.
Stehn,	Gehn,	Erscheint,	Weint,	Wiegt,	Kriegt,	

Ernst Jandl

ottos mops

ottos mops trotzt
otto: fort mops fort
ottos mops hopst fort
otto: soso

otto holt koks
otto holt obst
otto horcht
otto: mops mops
otto hofft

ottos mops klopft
otto: komm mops komm
ottos mops kommt
ottos mops kotzt
otto: ogottogott

Eugen Gomringer

kein fehler im system
kein fehler imt sysem
kein fehler itm sysem
kein fehler tmi sysem
kein fehler tim sysem
kein fehler mti sysem
kein fehler mit sysem

Eugen Gomringer

ping pong
    ping pong ping
    pong ping pong
        ping pong

Kurt Marti

Umgangsformen

Mich ichze ich
Dich duze ich
Sie sieze ich
Uns wirze ich
Euch ihrze ich
Sie sieze ich.

Ich halte mich an die Regeln.

Ernst Jandl

lichtung

manche meinen
lechts und rinks
kann man nicht
velwechsern
werch ein illtum!

Die Autoren – Wer ist wer?

1 In diesem Buch finden Sie von ihm eine Geschichte über einen klugen Mann, der viele komplizierte Apparate erfindet und trotzdem nicht so recht glücklich wird – und einen weiteren Text, ebenfalls über einen alten Mann, der seine Welt zu verändern sucht (und zwar mithilfe der Sprache).

Der Autor dieser Geschichten ist 1935 in Luzern (Schweiz) geboren. Er wurde zunächst Primarschullehrer. Seit 1973 arbeitet er aber als Dozent und Schriftsteller. Er hat also wahrscheinlich nie selbst eine Maschine erfunden, aber sicher – wie wir alle – viele Gedanken gedacht, die andere auch schon gedacht haben. Obwohl er nur wenig veröffentlichte, haben ihn seine Texte sehr bekannt gemacht.

2 Von ihm steht in diesem Buch ein Gedicht, das seine Gedanken über Freunde wiedergibt, die ohne ihn in den Sommerurlaub gefahren sind und nun Ansichtskarten schreiben. Dieses Gedicht ist typisch für ihn: Er beschreibt mit einfachen Worten alltägliche Situationen – also Situationen, die den größten Teil unseres Lebens ausmachen. Er wurde 1917 in Basel geboren, wo er auch 66 Jahre später starb.

3 Er wurde 1939 in Opplingen (Schweiz) geboren. Er ist freier Schriftsteller und Grafiker. Er schrieb viele Kinderbücher und Gedichte. In diesem Buch ist ein Gedicht von ihm, in dem er eine große Maschine auf sehr merkwürdige Art beschreibt. Er hatte in seinem Leben

Wilhelm Busch

Peter Bichsel

Wolfgang Borchert

Eugen Roth

auch viel mit Maschinen zu tun, und zwar mit Druckmaschinen, denn er war lange Schriftsetzer und Redakteur.

4 Er wurde 1921 in Hamburg geboren und starb, nur 26 Jahre alt, 1947 in Basel. Er musste von 1941 bis 1945 als Soldat in Russland kämpfen und kam schwer krank aus dem Krieg zurück. Er schrieb Gedichte, Erzählungen und das Drama „Draußen vor der Tür" – in allen Texten wendete er sich gegen Krieg und Unterdrückung. In dem Gedicht, das in diesem Buch steht, beschreibt er, wie die Erde in 3000 Jahren aussieht.

5 In diesem Buch ist von ihm eine Art Comic, mit dem er zeigt, wie hart und streng die Lehrer früher in der Schule waren. Er lebte von 1832 bis 1908. Er war ein Norddeutscher, wohnte aber auch eine Zeit lang in München. Er war doppelt begabt, als Dichter und als Zeichner. Von ihm stammen satirische Bildgeschichten, in denen er vor allem Spießbürger kritisierte. Sehr bekannt sind „Max und Moritz", „Die fromme Helene", „Maler Klecksel" u.a.

6 Er lebte von 1788 bis 1857. Er ist einer der bekanntesten romantischen Lyriker und Erzähler. In unserem Buch steht ein Gedicht von ihm, in dem er beschreibt, wie gern er in einer Sommernacht weit weg wandern würde. Seine berühmteste Novelle heißt „Aus dem Leben eines Taugenichts".

7 Von ihm ist ein Gedicht in diesem Buch, in dem er sich Sorgen darüber macht, dass die Schüler vielleicht nicht fleißig genug sind. Denn nur wer genug weiß, kann sich gegen die Bösen und Mächtigen wehren. Er wurde 1898 in Augsburg geboren und starb 1956 in Berlin. Er ist einer der bekanntesten deutschen Schriftsteller dieses Jahrhunderts. Er schrieb Dramen (z. B. „Die Dreigroschenoper", „Das Leben des Galileo Galilei", „Der gute Mensch von Sezuan"), Prosa und Lyrik. Als Kommunist musste er 1933 Deutschland verlassen. Während der Nazizeit lebte er in Dänemark, in der Sowjetunion, in den USA und in der Schweiz im Exil. 1948 kehrte er nach Deutschland zurück und lebte bis zu seinem Tod in Ostberlin in der damaligen DDR. Seine Texte wenden sich oft gegen den satten, selbstzufriedenen und rücksichtslosen Bürger; er nimmt Partei für die Benachteiligten und Ausgestoßenen der Gesellschaft.

8 Er wurde 1933 in Oelitz im Erzgebirge geboren. Er studierte in Leipzig Philosophie und Publizistik (1951 bis 1955) und arbeitete bis 1959 als Assistent an der Universität. Durch seine kritische Einstellung gegen die DDR-Regierung geriet er in Schwierigkeiten. Er musste seine wissenschaftliche Laufbahn abbrechen und seinen Lebensunterhalt als Hilfsarbeiter verdienen, bis er eine tschechoslowakische Zahnärztin heiratete. Seit 1962 wurde es für ihn immer schwieriger, in der DDR eigene Texte zu veröffentlichen. Besonders mit dem Buch „Die wunderbaren Jahre" verärgerte er die Regierung. Er wurde aus dem Schriftstellerverband

Joseph von Eichendorff

Franz Hohler

Otto Waalkes

Reiner Kunze

der DDR ausgeschlossen. Die Schikanen gegen ihn und seine Familie wurden immer schlimmer. Im Jahre 1977 durfte er in den „Westen", nach Bayern, ziehen. Er veröffentlichte Lyrik, Prosa und Dokumentationen.

9 Er wurde 1937 in Düsseldorf geboren und ist schon seit 1961 freier Schriftsteller. Er veröffentlicht Lyrik, Romane, Erzählungen und Kinderbücher. In diesem Buch steht von ihm ein Text über einen Jungen, der gern ein großer Sportler wäre, um einem Mädchen zu gefallen.

10 Es ist nicht alles ganz ernst zu nehmen in dem Text, der in diesem Buch von ihm abgedruckt ist. Der Herr, von dem die Geschichte handelt, hat nämlich ein sehr ungewöhnliches Hobby, oder vielmehr pflegt er sein Hobby auf sehr ungewöhnliche Art. Der Autor des Textes ist 1943 in Biel (Schweiz) geboren. Seine Eltern waren Lehrer, und er wollte eigentlich auch Lehrer werden, aber dann hatte er als Kabarettist und Schriftsteller so große Erfolge, dass er 1965 seine Pläne änderte und seitdem von diesen beiden Berufen sehr gut lebt.

11 Er wurde 1925 in Wien geboren. Dort studierte er Anglistik und Germanistik und wurde Gymnasiallehrer. Er schreibt „Sprechgedichte" und trägt sie wunderbar vor. Seine Gedichte, von denen zwei in diesem Buch abgedruckt sind, sind wie ein Spiel mit der Sprache. Ihre Stimmung ist oft humorvoll, manchmal aber auch bitter und ironisch.

Bertolt Brecht

Christine Nöstlinger

Theodor Storm

Ror Wolf

12 Er wurde 1921 in Bad Kösen an der Saale geboren, lebt aber schon lange als freier Schriftsteller in der Nähe von München. Er schrieb viele Bücher für Kinder. In dem Text, der in diesem Buch abgedruckt ist, schreibt er über zwei Männer, die sich, obwohl sie als Kinder enge Freunde waren, später „im Leben" ganz unterschiedlich entwickelten.

13 In dem Text, der in unserem Buch steht, beschreibt er eine Familie, die ihr Leben radikal ändert. Er wurde 1904 in Göteborg (Schweden) geboren und starb 1983 in Hamburg. Er studierte Kunstgeschichte und wurde später Schriftsteller in München und Hamburg. Bekannt wurde er durch seine humorvollen kleinen Prosageschichten.

14 Er wurde 1931 bei Zürich in der Schweiz geboren. Er war lange Lehrer und unterrichtete, wie seine Frau, vor allem Kinder ausländischer Arbeiter. Er selbst hat drei Kinder.

In seinen Büchern versucht er, vor allem den Kindern in ihrem Leben Mut zu machen. Seine Gedichte sprechen aber auch viele Erwachsene an. In diesem Buch ist von ihm ein Gedicht über die Liebe oder über das Zusammengehören von Menschen. Er schreibt übrigens auch Kabarettexte fürs Radio.

15 In unserem Buch gibt es von ihm einen Sketch über die Schwierigkeit, sich von den Eltern bei den Hausaufgaben helfen zu lassen. Er ist ein in Deutschland sehr bekannter Komiker.

Geboren wurde er 1948 in Emden. Zunächst verdiente er sich sein Studi-

Hans Manz

Karlhans Frank

Jürg Schubiger

Max Kruse

um als Entertainer. Aber als er sah, dass sich das Publikum mehr über seine lustigen Zwischenansagen freute als über seine Lieder zur Gitarre, fing er an, viel mehr komisch zu reden, als ernst zu singen: Er „blödelte", d. h., er spielte selbst geschriebene satirische oder absurde Szenen. Seine Filme, Bücher, Bühnen- und Fernsehauftritte haben ihn inzwischen zu einem reichen Mann gemacht.

16 Er wurde 1936 in Zürich geboren und ist Verleger in Winterthur/Schweiz. Er veröffentlicht Geschichten und eine Kinderschallplatte sowie Mundartlieder, die er selber vorträgt. In unserem Buch ist von ihm ein Text, der wie ein Märchen beginnt: Von einem Mädchen, das in die Welt hinauszieht, um sein Glück zu machen …

17 In unserem Buch finden Sie Ausschnitte aus seiner unheimlichen Erzählung, die an der Nordsee spielt. Ein Gespenst kommt darin vor.
Er wurde 1817 in Husum an der Nordsee geboren; 1888 starb er. Er gehörte zur Epoche des „poetischen Realismus" und hatte großen Einfluss auf Schriftsteller wie Thomas Mann.

18 Er wurde 1932 in Saalfeld an der Saale geboren, was ihn aber nicht daran hindert, die Spiele einer Fußballmannschaft in Frankfurt am Main oft zu besuchen. Er schreibt Texte, die oft grotesk und ohne Handlung sind und an denen ihn zunächst nur das ganz einfache Sprachmaterial interessiert. Allerdings ordnet er seine Wörter und Sätze zu genau berechneten Sprachspielen.

Ernst Jandl

Kurt Kusenberg

Rainer Brambach

Eduard Mörike

Beat Brechbühl

19 In dem Text, der in diesem Buch abgedruckt ist, geht es um eine Schülerin, die keine Lust mehr hat, das brave, liebe, angepasste Kind zu sein. Und deshalb benimmt sie sich in einer Schulstunde sehr merkwürdig.
Die Autorin wurde 1936 in Wien geboren. Sie studierte zunächst Kunst, begann dann aber, Kinderbücher sowie Rundfunk- und Fernsehserien zu schreiben. Sie schildert meist – aus der Sicht eines Kindes oder eines Jugendlichen – das Leben einfacher Leute in Wien. Oft geht es, wie in unserem Text, um Autoritätsprobleme oder um die Rolle, die jemand, ohne dass er es eigentlich möchte, in seiner Gruppe spielen muss.
Sie veröffentlichte Romane, Erzählungen und Gedichte.

20 Warum der Mensch reist, fragt er in dem Gedicht von ihm, das Sie in diesem Buch finden. Die Antwort sucht er bei so berühmten Leuten wie Goethe, Montaigne, Novalis und Seume.
Er lebte in München, und zwar von 1895 bis 1976. Er selbst reiste viel – vor allem nach Norwegen, Griechenland und Afrika.

21 Er war ein Schwabe und lebte von 1804 bis 1875. Er schrieb Gedichte und Erzählungen; besonders einige seiner Gedichte sind so bekannt geworden wie Volkslieder. Eins davon, ein Frühlingsgedicht, steht in diesem Buch.

Bildquellen:

Anthony Verlag: © Abend, S. 94 – © Archiv für Kunst und Geschichte, S. 13, S. 105, S. 123 (Wolfgang Borchert), S. 126 (Eduard Mörike) – © Ataç-Geiger, S. 97 – © Lorenz Baader, S. 108 – Bavaria: © Ball, S. 90 (Jazzband), © FPG, S. 31, S. 36, S. 37, © Krauskopf, S. 20 (Gärtnerin),© Messerschmidt, S. 91 (Trachten), © Myers, S. 57 (2. v. oben), © Otto, S. 56 (oben), © Schmied, S. 42, © SSI, S. 20 (Laborantin u. Lehrerin), © Stock Image, S. 53, S. 67, S. 104 (links u. unten), © TCL, S. 54, S. 90/91 (Jugendliche), S. 106 – © Beltz und Gelberg, S. 125 (Hans Manz u. Jürg Schubiger) – © Cornelsen: Kleber, S. 10, S. 15, S. 16, S. 17, S. 22, S. 23, S. 24/25 (unten), S. 28, S. 29, S. 30, S. 35, S. 45, S. 73, S. 81, S. 87, S. 89, S. 95, S. 115 – © Deutsches Postmuseum, S. 44 – © Die Expreßboten Berlin, S. 27 – © Diogenes Verlag, S. 126 (Rainer Brambach); Luis Murschetz, aus: „Der Maulwurf Grabowski", S. 64–66; F. K. Waechter, aus: „Glückliche Stunden", S. 51 – © dpa, S. 123 (Peter Bichsel u. Wilhelm Busch), S. 124 (Joseph von Eichendorff u. Reiner Kunze), S. 126 (Ernst Jandl), dpa: © Elsner, S. 124 (Franz Hohler), © Maydell, S. 124 (Otto Waalkes), © Wagner, S. 125 (Ror Wolf) – © ECON-Verlag, S. 96 – Focus: © Azel, S. 90 (Kirche), © Hartz, S. 90 (Freiheitsstatue), © Mayr, S. 56 (unten), © Seitz, S. 90 (Hockey-Spieler), © Snowdon/Hoyer, S. 54 (oben rechts), S. 91 (Musikkapelle), © Silvester, S. 54 (links), S. 58, © Yamashita, S. 90 (Weißes Haus) – © Frank, S. 125 (Karlhans Frank) – © Geduldig, S. 57 (oben links u. unten links), S. 84 – © Greenpeace/ McAllistar, S. 56 (Mitte) – Gruner + Jahr: © Carp, S. 40/41 – © JUMA, Köln, aus: „Jugendscala", Nov./Dez. 1988, S. 60 – © Keystone, S. 123 (Eugen Roth) – © Klein, S. 32 – Kölner Stadt-Anzeiger: © Schiestel, S. 26 – © Körber-Stiftung, S. 98 – © Volker Kriegel, S. 18 – © Kruse, S. 125 (Max Kruse) – Nagel und Kimche Verlag: © Böhler, S. 126 (Beat Brechbühl) – © Oetinger-Verlag, S. 125 (Christine Nöstlinger) – © Ofczarek, S. 6 – Pan-Foto: © Zint, S. 61 – © Pretsch, S. 48/49 – © Rohrmann, S. 68/69 – © Schlicht, S. 109 (links), S. 110 – © Schwarz, S. 93 – Superbild: © Bach, S. 5, S. 19, © Ducke, S. 103, © Loewen, S. 21 (oben) – © Sven Simon, S. 104 (rechts), S. 109 (rechts) – The Image Bank: © Butch, S. 79, © Rosenfeld, S. 24/25 – © Tony Stone, S. 56/57, Tony Stone: © Correz, S. 80, © GPS/Signorelli, S. 20 (Kameramann), © Johnston, S. 63, © O'Leary, S. 20 (Koch) –

© Transglobe, S. 54 (rechts), S. 126 (Kurt Kusenberg), Transglobe: © Bäsemann, S. 57 (2. v. unten), © Borland, S. 90 (Mount Rushmoore), © Frazier, S. 20 (Metzger), © Henkelmann, S. 91 (Reichstag), © Jessel, S. 54 (Mitte), © Kamp, S. 90 (Hochhäuser), © Krüger, S. 91 (Kölner Dom), © Metzger, S. 7, © Mollenhauer, S. 91 (Frankfurter City), © Sommer, S. 91 (Landhaus), © Thomas, S. 91 (Fußballmannschaft), © Tooke, S. 90 (Indianer), © Wallocha, S. 20 (Förster) – © Ullstein Verlag, S. 125 (Bert Brecht u. Theodor Storm) – © Vogtschmidt, S. 25 – © Wolf, S. 52 – © Zeitschriften Verlag Zug (Schweiz), S. 24 (Mitte).

Textquellen:

© Arbeitsgemeinschaft zur Förderung der wirtschaftlichen und sozialen Bildung e.V., Bonn, aus: „Frauen und Männer sind gleichberechtigt", S. 21 – © Arche-Verlag, Zürich, Ernst Ginsberg, aus: „Abschied, Erinnerungen, Theateraufsätze, Gedichte", S. 86 – © Arena-Verlag, Würzburg, Jutta Richter, aus: „Morgen beginnt mein Leben", hg. von Joe Pestum, 1982, S. 74 – © Athenäum-Verlag, Zürich, Beat Brechbühl, aus: „Das große deutsche Gedichtbuch", hg. von Conrady, 1977, S. 32 – © Badischer Verlag, Stephan Clauss, aus: „Badische Zeitung" vom 2.7.1988, S. 46/47 – © Bagel-Verlag, Düsseldorf, Eduard Mörike, aus: „Deutsche Gedichte", 1973, S. 62 – © Beltz und Gelberg, Weinheim, Lisa-Marie Blum, aus: „Leseladen", hg. von J. Brender und H.J. Gelberg, 1977, S. 85; Max Kruse, aus: „Der fliegende Robert. Jahrbuch der Kinderliteratur", 1991, S. 70-72; Reiner Kunze, aus: „Am Montag fängt die Woche an. Jahrbuch der Kinderliteratur", hg. von H.J. Gelberg, 1973, S. 14/15; Hans Manz, aus: „Die Erde ist mein Haus. Jahrbuch der Kinderliteratur", hg. von H.J. Gelberg, 1988, S. 86; Tilde Michels, aus: „Der fliegende Robert. Jahrbuch der Kinderliteratur", 1991, S. 36; Hans Schmid, aus: „Leseladen", hg. von J. Brender und H.J. Gelberg, 1977, S. 10; Jürg Schubiger, aus: „Der fliegende Robert. Jahrbuch der Kinderliteratur", 1991, S. 76; Frieder Stöckle, aus: „Weltwunder. Jahrbuch der Kinderliteratur", hg. von H.J. Gelberg, 1979, S. 85 – © Benteli-Verlag, Bern, Franz Hohler, aus: „Das verlorene Gähnen und andere nutzlose Geschichten", 1970, S. 88 – © Diogenes Verlag, Zürich, Luis Murschetz, aus: „Der Maulwurf Grabowski", 1972, S. 64-66 – © Diogenes Verlag, Zürich, Rainer Brambach, aus: „Wirf eine Münze